안쌤의 영재교육원 영재학급 관찰추천제 대비

창의적 문제해결력

과학

Steam

매스티안

구성과 특징

STEP1 문제인식

창의적 문제해결력 특강의 첫 번째 단계로, 주제에 대한 탐구로 문제를 인식하는 단계입니다.
학생들이 탐구하기에 좋은 주제, 최근 이슈가 되고 있는 주제, 발명 아이디어로 창의성을 기르는 주제 등 다양한 주제로 구성하였습니다.

STEP2 문제해결

창의적 문제해결력 특강의 두 번째 단계로, 문제로 인식한 부분을 해결하기 위한 단계입니다.
문제해결을 위한 과학적 탐구를 하고, 문제해결을 위한 실험 가설을 세우고 탐구 계획서를 작성하도록 구성하였습니다. 탐구 수행 및 결과를 통해 창의적 문제해결력을 향상시킬 수 있습니다.

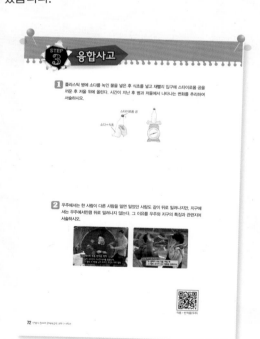

STEP3 융합사고

창의적 문제해결력 특강의 세 번째 단계로, 문제해결을 위한 탐구 수행 후 보완할 부분을 찾는 문제, 탐구 결과를 더 향상시키는 방법을 찾는 문제, 문제해결에 활용한 과학 개념을 실생활에 적용해보거나 더 연구하고 싶은 부분을 융합적으로 사고할 수 있는 문제로 구성하였습니다.

탐구보고서

창의적 문제해결력 특강의 네 번째 단계로, 앞에서 진행된
문제인식, 문제해결, 융합사고의 내용을 탐구보고서로 작성
하는 단계입니다. Step1 문제인식은 탐구 주제의 내용으로,
Step2 문제해결은 탐구 문제(가설), 탐구 방법, 탐구 결과, 탐
구 결론의 내용으로, Step3 융합사고는 탐구에 대한 나의 의
견(고민 및 아쉬운 점, 느낀 점, 새로 알게 된 점, 더 연구하
고 싶은 점)의 내용으로 작성할 수 있도록 구성하였습니다.

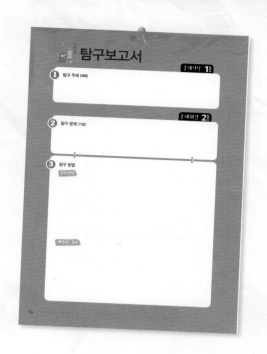

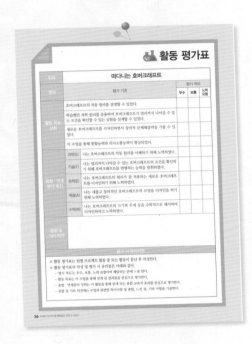

평가하기

창의적 문제해결력 특강의 다섯 번째 단계로, 탐구보고서 작
성 및 발표 후 탐구 활동을 평가하는 단계입니다. 활동 목표
성취에 대한 평가, 융합–연계 분야 촉진에 대한 평가, 종합
및 기타 의견을 작성하여 스스로 창의적 문제해결력 특강을
통해 향상된 부분과 부족한 부분을 점검하도록 구성하였습
니다.

부록 | 안쌤이 추천하는 초등학생 과학 대회 안내

다양한 과학 대회들이 생기고 있어서 어떤 대회를 참가해야
할지 고민하시는 분들을 위해 안쌤이 추천하는 초등학교 과
학 대회를 정리했습니다. 또한 이 과학 대회들을 통해 창의
적 문제해결력 특강으로 향상된 능력을 확인하고 점검할 수
있습니다. 영재산출물(창의적 산출물)로 활용할 수 있는 대
회, 학생기록부에 기록 가능한 대회, 영재교육원 문제 유형
과 비슷한 대회를 소개하고 기출 문제 및 출제 문제 유형을
같이 수록했습니다.

목차

융합인재교육 STEAM 이란?

· 수학, 과학, 기술, 공학 간 상호 연계성 고려, 학문 간 공통 핵심 요소 중심으로 교육
· 예술적 소양을 함양하고 타 학문에 대한 이해가 깊은 미래형 인재 양성으로 교육

[자료 출처 : 한국과학창의재단]

융합인재교육은 과학기술공학과 관련된 다양한 분야의 융합적 지식, 과정, 본성에 대한 흥미와 이해를 높여 창의적이고 종합적으로 문제를 해결할 수 있는 융합적 소양(STEAM Literacy)을 갖춘 인재를 양성하는 교육이라고 정의하고 있다. 학습자가 실제 문제 상황을 다양하게 설계하고 해결하는 과정을 통해 새로운 개념을 생성하고, 창의적으로 설계하며, 더불어 사는 인성, 즉 사회적 감성을 발달하도록 하는 것이다.
이러한 융합인재교육(STEAM)의 목적은 다음과 같이 정리할 수 있다.

❀ 빠르게 변화하는 사회 변화의 적응력을 높이는 것이다.
❀ 개인의 창의인성, 지성과 감성의 균형 있는 발달을 돕는 것이다.
❀ 타인을 배려하고 협력하며, 소통하는 능력을 함양하는 것이다.
❀ 과학 효능감과 자신감, 과학에 대한 흥미 등을 증진시킴으로써 과학 학습에 대한 동기 유발을 높이는 것이다.
❀ 융합적 지식 및 과정의 중요성을 인식시키는 것이다.
❀ 학습자 중심의 수평적 융합적 교육으로 전환하는 것이다.
❀ 합리적이고 다양성을 인정하는 문화 형성에 기여하는 것이다.
❀ 대중의 과학화를 기반으로 한 합리적인 사회를 구성하는 데 기여하는 것이다.
❀ 창조적 협력 인재를 양성하는 것이다.
❀ 수학, 과학, 기술, 공학 간 상호 연계성 고려, 학문 간 공통 핵심 요소 중심으로 교육
❀ 예술적 소양을 함양하고 타 학문에 대한 이해가 깊은 미래형 인재 양성으로 교육

안쌤의 창의적 문제해결력

과학

1

3·4
학년

떠다니는 호버크래프트

사례 1 얇게 얼음이 언 호숫가에 얼음놀이를 하던 사람들이 얼음이 깨져 호수에 빠졌다. 소방관들이 보트를 타고 열심히 노를 저어가며 사람들을 구하러 가고 있지만 사람들은 물속으로 가라앉기 직전이다. 소방관들도 체력이 바닥나려고 한다.

사례 2 조개를 잡으려고 갯벌에 나간 관광객이 깊은 갯벌 속에 잠겨 빠져나올 수 없는 상황이다. 게다가 물은 점점 다시 들어오고 있다. 구조요원이 보트를 타고 접근해 보지만 보트 바닥이 갯벌에 걸리면서 쉽게 구조를 하지 못하고 있다. 자동차나 4륜 오토바이를 타고 들어가려고 했지만 차량도 갯벌에 빠져 구조가 쉽지 않다.

'사례 1'과 '사례 2'는 자주는 아니지만 해마다 1~2번씩 뉴스에 빠지지 않고 등장하는 사건들이다. 이처럼 특수한 상황에서 제한된 장비로 인명을 구조하기란 말처럼 그리 쉽지가 않다. 또한, 사례와 같은 상황에서는 우리가 흔히 보는 자동차나 보트, 제트스키와 같은 장비만으로 효과적인 대응이 어렵다.

이런 상황에 가장 잘 어울리는 효과적인 장비는 없을까?

❶ 얼음 호수에 빠진 사람을 구조하는 모습

❶ 갯벌에 빠진 사람을 구조하는 모습

1 사람이 이동하거나 짐을 옮기도록 도와주는 것을 교통수단이라고 한다. 내가 알고 있는 교통수단의 종류를 10가지 쓰시오.

2 호버크래프트 동영상을 시청한 후 호버크래프트의 특징을 3가지 서술하시오.

호버크래프트

1 다음 그림은 호버크래프트의 구조를 간단하게 표현한 것이다. 그림을 바탕으로 호버크래프트가 물이나 땅 위에 떠올라서 앞으로 나아가는 원리와 방향을 전환하는 방법을 추리하여 서술하시오.

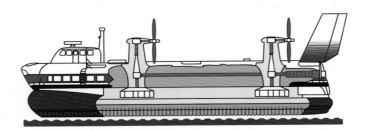 

2 호버크래프트가 빠른 속도로 나아가기 위한 방법을 3가지 서술하시오.

3 풍선, CD, 페트병 뚜껑, 양면테이프, 글루건, 빨대로 CD 호버크래프트를 만들려고 한다. CD 호버크래프트의 움직임에 영향을 미치는 조건을 이용하여 가설을 세우시오.

4 CD 호버크래프트의 움직임에 영향을 미치는 조건에 관해 **3** 에서 세운 가설을 확인할 수 있는 실험을 설계하시오.

1 제주-완도 쾌속선은 34노트인 반면 호버크래프트의 속력은 50~60노트이다. 호버크래프트는 지면 또는 수면에서 떠서 이동하기 때문에 마찰력이 적어 속도가 빠르다. 자기부상열차 역시 호버크래프트와 같은 원리를 이용하여 고속으로 움직인다. 다음 그림을 참고하여 자기부상열차의 원리를 서술하시오. (1노트=1.852km/h)

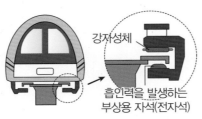

강자성체

흡인력을 발생하는
부상용 자석(전자석)

◆ 상전도식 자기부상열차

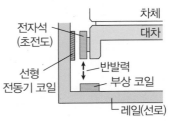

차체

대차

전자석
(초전도)

반발력

선형
전동기 코일

부상 코일

레일(선로)

◆ 초전도식 자기부상열차

2 호버크래프트는 지상, 해상, 설원, 늪지 등 세상 어디라도 달릴 수 있는 전천후 교통수단이다. 화재구조, 늪지대나 선박접안이 곤란한 지역의 물자 수송 등에 폭넓게 활용되고 있지만 특수한 지역 빼고는 많이 사용되지는 않는다. 호버크래프트가 많이 사용되지 않는 이유를 서술하시오.

3 호버크래프트는 육지와 해양 양용으로 사용할 수 있다는 매우 큰 장점을 지니고 있지만, 그 비용에 비해 디자인이 열악하다. 첫 번째 사진은 중국의 유한 장(Yuhan Zhang)이라는 21살의 어린 디자이너가 구상한 '폭스바겐 아쿠아' 호버크래프트이다. 일반적인 호버크래프트보다 한 단계 진보한 디자인으로 호수, 강, 바다, 얼음, 습지대 등을 모두 달릴 수 있으며, 동력을 수소연료전지를 사용하기에 환경 문제에서도 자유롭다. 두 번째 사진은 미카엘 메르시에(Michael Mercier)와 크리스 존스(Chris Jones)가 구상한 '메르시에-존스'이다. 이들은 스포츠카 이상을 넘어선 디자인에 차체로 탄소 섬유, 알루미늄, 유리 섬유 및 선박용 합판을 사용하며, 하이브리드 전기 전달 장치를 사용할 계획이다.

◆ 폭스바겐 아쿠아　　　　　　　◆ 메르시에-존스

이 외에도 다양한 형태의 호버크래프트가 개발, 설계되고 있다. 새로운 디자인과 새로운 기능을 가진 호버크래프트를 그림과 함께 고안하시오.

새로운 호버크래프트

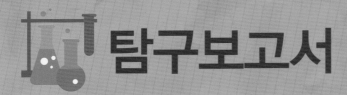
탐구보고서

1 탐구 주제 (제목)

2 탐구 문제 (가설)

3 탐구 방법

4 탐구 결과 (표 또는 그래프로 작성)

5 탐구 결론

6 탐구에 대한 나의 의견 (고민, 아쉬운 점, 느낀점, 새로 알게 된 점, 더 연구하고 싶은 점)

활동 평가표

주제	떠다니는 호버크래프트			
영역	평가 기준	평가 척도		
		우수	보통	노력 요함
활동 목표 성취	호버크래프트의 작동 원리를 설명할 수 있었다.			
	학습했던 과학 원리를 응용하여 호버크래프트가 멀리까지 나아갈 수 있는 조건을 확인할 수 있는 실험을 설계할 수 있었다.			
	새로운 호버크래프트를 디자인하면서 창의적 문제해결력을 기를 수 있었다.			
	이 수업을 통해 통합능력과 의사소통능력이 향상되었다.			
융합·연계 분야 촉진	과학(S) 나는 호버크래프트의 작동 원리를 이해하기 위해 노력하였다.			
	기술(T) 나는 멀리까지 나아갈 수 있는 호버크래프트의 조건을 확인하기 위해 호버크래프트를 변형하는 능력을 발휘하였다.			
	공학(E) 나는 호버크래프트의 원리가 잘 적용되는 새로운 호버크래프트를 디자인하기 위해 노력하였다.			
	예술(A) 나는 새롭고 창의적인 호버크래프트의 모양을 디자인을 하기 위해 노력하였다.			
	수학(M) 나는 호버크래프트의 크기과 무게 등을 수학적으로 해석하여 디자인하려고 노력하였다.			
종합 및 기타 의견				

평가 시 유의사항

※ 활동 평가표는 팀별 프로젝트 활동 중 또는 활동이 끝난 후 작성한다.

※ 활동 평가표의 작성 및 평가 시 유의점은 아래와 같다.

– '평가 척도'는 우수, 보통, 노력 요함이며 해당되는 란에 ∨표 한다.

– 활동 목표는 이 수업을 통해 얻게 된 결과물을 중심으로 평가한다.

– 융합·연계분야 성취는 이 활동을 통해 얻게 되는 융합 교육적 효과를 중심으로 평가한다.

– 종합 및 기타 의견에는 수업과 관련한 특이사항 및 종합, 느낀 점, 기타 사항을 기술한다.

영재교육원 대비

안쌤의 창의적 문제해결력

과학
2

3·4
학년

무인도에서 식수 얻기

엘살바도르 출신의 어부인 호세 알바렝가씨는 에세키엘 코르도바 청년과 함께 2012년 12월 말 상어를 잡기 위해 멕시코 서부 해안 치와와주를 출발했다. 그러나 풍랑을 만나 엔진이 고장나면서 표류를 시작해, 낚싯배를 타고 바다로 나간 지 14개월 만에 멕시코에서 1만 2천 km나 떨어진 마셜제도 최남단 에본 아톨 섬의 주민들에 의해 극적으로 구조됐다. 구조 당시 배는 따개비로 뒤덮인 반파 상태였고, 배에서 바다거북의 사체와 뒤엉킨 알바렝가가 발견되었다. 알바렝가는 덥수룩한 머리에 누더기가 된 옷을 입고 있었다고 한다.

알바렝가는 표류하는 동안 바다거북의 피와 자신의 소변, 빗물을 받아 마시며 연명했다. 그는 물고기와 바다새를 잡아 먹기도 했는데, 함께 바다로 나섰던 청년 코르도바는 날 것을 먹지 못해 한 달 만에 숨졌다고 한다.

알바렝가는 표류 도중 주변을 지나는 선박들에 여러 차례 구조 요청을 했지만 번번이 외면당했다고 했다. 심지어 너무 가까이 지나가는 바람에 알바렝가의 낚싯배가 부서질 뻔한 적도 있었으며, 또 어떤 배에서는 선원들이 알바렝가를 보고 손까지 흔들고도 구조 작업을 시도하지 않았다고 한다.

알바렝가는 14개월을 표류한 사람이라고 하기에 지나치게 뚱뚱했고, 피부가 장기간 햇빛에 노출된 것치고는 무척 건강했으며, 맨손으로 거북과 고기를 잡아 먹었다는 이야기가 사실인지 확신할 수 없었다. 그러나 점차 그 증거들이 발견되면서 논란은 잦아들었다.

[14개월 동안 표류한 알바렝가의 낚싯배]

1 만약 무인도에 표류하게 되었다면 살아가기 위해서 무엇이 필요한지 적고 그 이유를 서술하시오.

2 무인도는 물이 풍부한 곳이지만, 이 물은 소금기가 많은 바닷물이다. 목이 마르다고 하여 바닷물을 그냥 마시면 안된다. 그 이유를 서술하시오.

1 다음은 막걸리를 가열하여 소주를 만드는 옹기인 소줏고리에 대한 설명이다. 소줏고리에서 소주가 만들어지는 과정을 서술하시오.

소줏고리는 아래짝과 위짝의 두 부분으로 되어 있으며, 숫자 8과 전체적인 모양이 비슷하다. 소줏고리 위와 아래는 모두 뚫려 있고, 잘록한 허리 부분에는 아래쪽으로 경사진 주둥이가 달려 있다. 막걸리가 담겨 있는 가마솥 위에 소줏고리를 올리고, 소줏고리 위쪽에 찬물이 담긴 그릇을 올린 후 가마솥을 가열하면 소주가 만들어져 주둥이로 떨어진다.

2 새벽에 숲 속을 거닐면 낮과 다르게 신선하고 촉촉한 느낌, 상큼한 풀의 향기, 투명하게 빛나는 이슬, 바람의 촉감, 나뭇잎 사이로 눈부시게 빛나는 햇빛을 느낄 수 있다. 새벽 숲에 이슬이 생기는 이유를 서술하시오.

3 무인도에서 마실 수 있는 깨끗한 물을 얻을 수 있는 방법을 설계하고 예상되는 결과를 서술하시오.

식수를 얻는 방법

예상되는 결과

1 인체의 70%는 물로 채워져 있으며, 인간은 물이 없으면 살 수 없다. 그런데 생명과 직접적으로 연결되는 물이 점점 부족해지고 있다. 현재 우리나라는 세계 153개국 중 129위에 해당하는 물부족 국가이며, 2025년쯤에는 중동지역의 쿠웨이트처럼 물기근 국가가 될 수도 있는 위험에 놓여있다. 우리나라가 물이 부족해지는 원인을 서술하시오.

국제인구행동연구소(PAI)는 한 사람이 1년간 쓸 수 있는 물의 양을 바탕으로 전세계 국가를 물기근, 물부족, 물풍요 국가로 분류한다.
- 물 기근 국가 : 한 사람이 1년간 쓸 수 있는 물의 양이 1,000m^3 이하인 경우
- 물 부족 국가 : 한 사람이 1년간 쓸 수 있는 물의 양이 1,000m^3~1,700m^3 인 경우
- 물 풍요 국가 : 한 사람이 1년간 쓸 수 있는 물의 양이 1,700m^3 이상인 경우

이 분류기준에 따르면 우리나라는 한 사람이 1년간 쓸 수 있는 물의 양이 1,453m^3로, 물 부족 국가로 평가된다. 우리나라 외 리비아, 이집트, 벨기에, 남아프리카공화국도 주기적인 물 압박을 경험하는 물 부족 국가에 해당된다.

2 비가 거의 오지 않는 UAE(아랍에미리트)나 사우디아라비아 등 중동 사막지역의 국가들은 생활에 필요한 물(담수)을 어떻게 얻을지 추리하여 서술하시오.

3 저개발 국가의 식수 문제를 해결할 솔라볼이 개발되었다.

오염된 식수로 인해 발생하는 질병 때문에 해마다 2백만 명 이상의 어린이들이 죽어가고 있다. 또한 급속한 도시화와 인구 증가로 인해 개발도상국가나 저개발 국가의 식수 문제가 점점 더 심각해지고 있다.

'태양 광선'과 '자연 증발'을 이용하여 비교적 깨끗한 식수를 간단하게 만들 수 있는 '솔라볼(Solarball)'이 개발되었다. 오염되거나 지저분한 물을 '솔라볼'에 부은 후 태양 광선 아래 두면 자연 증발 과정을 거치게 되고, 이 과정을 통해 오염된 물과 깨끗한 물이 자동적으로 분리된다. 즉, 증발된 수증기가 '솔라볼' 위쪽에 설치된 바깥쪽 저장고로 모여들어 고이게 되고, 사용자는 이 물을 모아 식수로 사용하는 것이다.

솔라볼은 오염된 물을 간단한 원리로 마실 수 있는 물인 식수로 만들어 준다. 하지만 이 '솔라볼'로 만든 물도 오염된 물에 있는 유해한 병균을 완전히 제거할 수 없기 때문에 식수로 완벽한 상태는 아니라는 것이 대다수 전문가들의 의견이다. 오염된 물을 완벽한 상태의 식수로 얻기 위해 솔라볼을 개선하거나 새로운 장치를 고안하시오.

탐구보고서

1 탐구 주제 (제목)

2 탐구 문제 (가설)

3 탐구 방법

④ 탐구 결과 (표 또는 그래프로 작성)

⑤ 탐구 결론

⑥ 탐구에 대한 나의 의견 (고민, 아쉬운 점, 느낀점, 새로 알게 된 점, 더 연구하고 싶은 점)

🧪 활동 평가표

주제	무인도에서 식수 얻기			
영역	평가 기준	평가 척도		
		우수	보통	노력 요함
활동 목표 성취	증류와 냉각을 이용하여 식수를 얻을 수 있는 원리를 설명할 수 있었다.			
	학습했던 과학 원리를 응용하여 무인도에서 식수를 얻을 수 있는 장치를 디자인할 수 있었다.			
	무인도에서 식수를 얻을 수 있는 장치를 디자인하면서 창의적 문제해결력을 기를 수 있었다.			
	이 수업을 통해 통합능력과 의사소통능력이 향상되었다.			
융합·연계 분야 촉진	과학(S) 나는 무인도에서 식수를 얻는 방법에 적용된 과학적 원리를 이해하기 위해 노력하였다.			
	기술(T) 나는 식수를 얻을 수 있는 장치를 구성하는 각 재료들을 기능에 맞게 변형하는 능력을 발휘하였다.			
	공학(E) 나는 식수를 짧은 시간에 최대한 많이 얻을 수 있는 장치를 고안하기 위해 노력하였다.			
	예술(A) 나는 식수를 얻을 수 있는 장치를 새롭고 창의적인 모양으로 디자인을 하기 위해 노력하였다.			
	수학(M) 나는 온도에 따른 물의 상태 변화와 온도와 습도의 관계를 해석하기 위해 노력하였다.			
종합 및 기타 의견				

평가 시 유의사항

※ 활동 평가표는 팀별 프로젝트 활동 중 또는 활동이 끝난 후 작성한다.

※ 활동 평가표의 작성 및 평가 시 유의점은 아래와 같다.
- '평가 척도'는 우수, 보통, 노력 요함이며 해당되는 란에 V표 한다.
- 활동 목표는 이 수업을 통해 얻게 된 결과물을 중심으로 평가한다.
- 융합·연계분야 성취는 이 활동을 통해 얻게 되는 융합 교육적 효과를 중심으로 평가한다.
- 종합 및 기타 의견에는 수업과 관련한 특이사항 및 종합, 느낀 점, 기타 사항을 기술한다.

안쌤의 창의적 문제해결력

과학

3

3·4
학년

충돌의 흔적, 운석구덩이

태양계 내의 행성과 위성, 소행성과 소행성의 작은 위성에서 발견되는 운석구덩이는 미행성이나 혜성, 유성체 등이 천체 표면에 충돌하여 만들어진 접시 모양으로, 움푹 파인 구덩이이다.

달의 운석구덩이는 지름 200 km를 넘는 거대한 것부터 지름 수 cm의 미소한 것까지 있는데, 지름 1 km 이상인 것만도 수십만 개를 웃돈다고 한다. 미국의 매리너 4호, 6호, 7호가 촬영한 화성의 사진에서도 달 표면과 같은 운석구덩이가 수없이 많은 것으로 밝혀졌다.

지구 표면에도 170개 이상의 운석구덩이들이 형성되었지만, 지구에서 관찰되는 운석구덩이 수는 달처럼 많지 않다. 기상현상과 지질활동이 일어나 운석구덩이의 흔적을 지우기 때문이다. 지구 표면에 있는 가장 큰 운석구덩이는 남아프리카 공화국에 있는 직경이 250~300 km인 브레드포트 운석구덩이(Verdefort crater)이고, 가장 오래된 것은 24억 년 전에 형성된 러시아의 수아브야르비 운석구덩이(Suavjärvi crater)이다.

운석이 지구로 떨어지는 속도는 초속 10 km가 넘는다. 지구의 대기는 떨어지는 물체의 속도를 감속시키는 역할을 한다. 하지만 운석의 무게가 1000톤 이상이라면 지구 대기의 영향이 크지 않아 원자폭탄을 능가하는 큰 에너지가 방출된다.

✛ 수성, 렘브란트 운석구덩이

✛ 지구, 미국의 베링거 운석구덩이

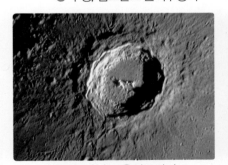
✛ 달, 타이코 운석구덩이

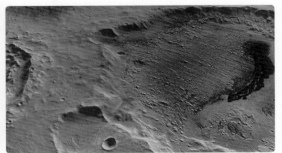
✛ 화성, 다니엘슨 운석구덩이

1 달의 표면을 찍은 동영상을 보고, 달의 표면의 특징을 4가지 서술하시오.

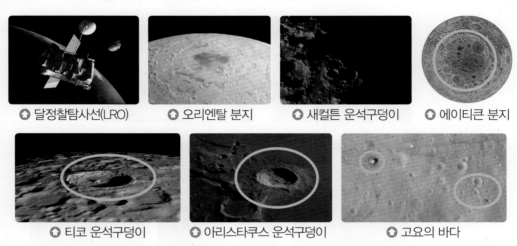

⬆ 달정찰탐사선(LRO)   ⬆ 오리엔탈 분지   ⬆ 새컬튼 운석구덩이   ⬆ 에이티큰 분지

⬆ 티코 운석구덩이   ⬆ 아리스타쿠스 운석구덩이   ⬆ 고요의 바다

달의 표면

1 달은 어떤 과정을 거쳐 탄생했을까? 순서대로 나열하고, 과정을 간략하게 서술하시오.

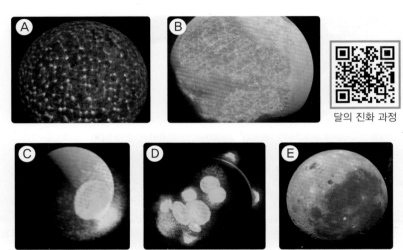

달의 진화 과정

2 달 표면에 있는 수많은 운석구덩이가 어떻게 생성되었는지 추리하여 서술하시오.

  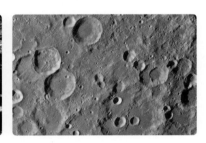

3 운석구덩이의 크기는 무엇에 의해 결정될까? 운석구덩이 크기에 영향을 주는 조건을 이용하여 가설을 세우시오.

4 가설을 확인할 수 있는 실험을 설계하시오.

1 충돌 운석구덩이(impact crater)는 미행성이나 혜성, 유성체 등이 천체 표면에 충돌하여 만들어진 접시 모양으로 움푹 파인 구덩이이다. 충돌 운석구덩이는 태양계 내의 행성과 위성, 그리고 소행성과 소행성의 작은 위성에 이르기까지 거의 모든 천체에서 발견된다. 지구 표면에도 170여 개가 넘는 충돌 운석구덩이들이 남아있다. 목성도 수많은 혜성이나 소행성과 충돌하지만, 표면에서 운석구덩이가 발견되지 않는다. 목성에 운석구덩이가 생성되지 않는 이유를 추리하여 서술하시오.

2 달 탐사위성 '그레일리'가 촬영한 달 뒷면의 사진을 보면 앞면보다 더 울퉁불퉁하다. 달의 뒷면은 지구로 날아오는 운석과의 충돌로 인해 우리가 보는 달의 앞면보다 운석구덩이가 더 많고 크다고 한다. 지구에서 달 뒷면의 모습을 볼 수 없는 이유를 서술하시오.

⊕ 달의 앞면

⊕ 달의 뒷면

달의 위상 변화

3 달은 물과 공기가 없기 때문에 한번 생성된 운석구덩이와 아폴로 11호 우주인의 발자국은 시간이 지나도 사라지지 않는다. 그러나 2009년 10월 9일 '달 충돌 실험'으로 달의 남극에 많은 양의 물과 함께 은, 수은, 수소, 탄화 수소 등 다양한 광물 성분이 있다는 것이 밝혀졌다.

달에 물이 있는지 확인하기 위한 충돌 실험이 성공적으로 이루어졌다. 하지만, 실제 물의 존재를 확인하기까지는 시간이 좀 더 필요할 것으로 보인다.

지구에서 쏘아 올린 '대형 총알'이 달의 남극에 정확히 꽂혔다. 이것이 미국항공우주국 나사(NASA)가 발사한 2.2톤짜리 로켓 '센토'이다. 센토는 총알보다 두 배 이상 빠른 초속 2.5km로, 출발한 지 불과 4분 만에 달의 남극 근처 '캐비우스 분화구'에 떨어졌다. 그 충격으로 달의 파편은 수 km 상공까지 치솟아 오른 것으로 확인됐다. '관건은 솟아오른 파편에서 물을 찾을 수 있는가'이다. 나사는 현재 센토와, 센토를 실어나른 모선 엘크로스가 수집해 보낸 적외선 추적 데이터 등을 분석하고 있다. 나사는 물을 직접 보지는 못했지만, 흥미로운 스펙트럼을 확인했다고 밝혔다. 과학자들은 달에 물이 있더라도 얼음 상태이거나 다른 분자와 결합해 있을 것으로 보고 있다. 지구와 달리 대기가 없고 중력이 작기 때문이다. 분석이 끝나는 데는 몇 주 정도가 걸릴 전망이다.

 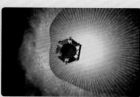 

나사는 이 충돌 실험에 1천억 원이 넘는 돈을 들였다고 한다. 달에 물이 있는지 연구를 하는 이유는 2020년까지 미국인을 다시 달에 보내는 프로젝트의 첫 준비 단계이며, 저 지구궤도 밖 탐사용 기지(우주정거장)로 달을 사용하려는 계획 때문이다. 이 밖에 달을 이용할 수 있는 방법에는 어떤 것이 있을까? 아이디어를 한 가지 고안하여 서술하시오.

달 충돌 실험

탐구보고서

① 탐구 주제 (제목)

② 탐구 문제 (가설)

③ 탐구 방법

④ 탐구 결과 (표 또는 그래프로 작성)

⑤ 탐구 결론

⑥ 탐구에 대한 나의 의견 (고민, 아쉬운 점, 느낀점, 새로 알게 된 점, 더 연구하고 싶은 점)

🧪 활동 평가표

주제	충돌의 흔적, 운석구덩이			
영역	평가 기준	평가 척도		
		우수	보통	노력 요함
활동 목표 성취	달에 운석구덩이가 생긴 원인을 말할 수 있었다.			
	학습했던 과학 원리를 응용하여 운석구덩이의 크기에 영향을 주는 조건을 알아보는 실험을 설계할 수 있었다.			
	운석구덩이의 크기에 영향을 주는 조건을 알아보는 실험을 통해 창의적 문제 해결력을 기를 수 있었다.			
	이 수업을 통해 통합능력과 의사소통능력이 향상되었다.			
융합·연계 분야 촉진	과학(S) 나는 운석구덩이의 생성 과정과 원인을 이해하기 위해 노력하였다.			
	기술(T) 나는 실험 재료를 적절하게 활용하고 필요에 맞게 변형하는 능력을 발휘하였다.			
	공학(E) 나는 생성된 운석구덩이의 지름과 깊이를 측정하는 방법을 고안하기 위해 노력하였다.			
	예술(A) 나는 실험에서 운석구덩이의 생성 과정을 실제와 비슷하게 나타내기 위해 노력하였다.			
	수학(M) 나는 각 조건에 따라 생성된 운석구덩이의 크기를 수학적으로 해석하려고 노력하였다.			
종합 및 기타 의견				

평가 시 유의사항

※ 활동 평가표는 팀별 프로젝트 활동 중 또는 활동이 끝난 후 작성한다.

※ 활동 평가표의 작성 및 평가 시 유의점은 아래와 같다.

  – '평가 척도'는 우수, 보통, 노력 요함이며 해당되는 란에 ∨표 한다.

  – 활동 목표는 이 수업을 통해 얻게 된 결과물을 중심으로 평가한다.

  – 융합·연계분야 성취는 이 활동을 통해 얻게 되는 융합 교육적 효과를 중심으로 평가한다.

  – 종합 및 기타 의견에는 수업과 관련한 특이사항 및 종합, 느낀 점, 기타 사항을 기술한다.

영재교육원 대비

안쌤의 창의적 문제해결력

과학 4

3·4 학년

층층이 쌓인 액체탑

층층이 색이 다른 레인보우 칵테일.

붉은색 바카디, 주황색 슬로진, 푸른색 블루 큐라소, 초록색 메론 리큐르, 노란색 아마레또, 진한 갈색 깔루아, 붉은색 그레나딘 시럽, 보라색 크렘 드 바이올렛, 갈색 브랜디 등을 이용하여 만든 것으로 마실 수 있는 알코올이 함유된 음료이다.

레인보우 칵테일은 각기 다른 재료가 섞이지 않도록 층을 만든 것이다.

레인보우 칵테일에서 각 액체가 서로 섞이지 않고 층을 이루는 이유는 무엇일까?

1 물이 담긴 비커에 식용유를 넣으면 식용유가 뜬다. [실험 2]와 [실험 3]의 결과를 예상하여 서술하시오.

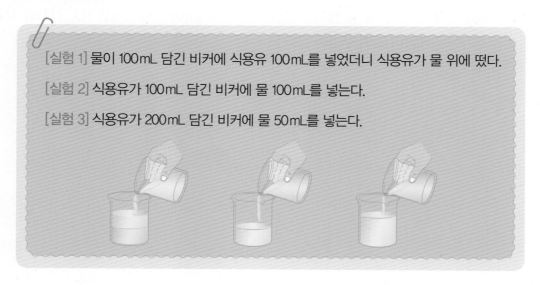

[실험 1] 물이 100mL 담긴 비커에 식용유 100mL를 넣었더니 식용유가 물 위에 떴다.

[실험 2] 식용유가 100mL 담긴 비커에 물 100mL를 넣는다.

[실험 3] 식용유가 200mL 담긴 비커에 물 50mL를 넣는다.

[실험 2]

[실험 3]

2 식용유가 물 위에 뜨는 이유를 서술하시오.

식용유와 물

1 밀도란 물질이 얼마나 무거운 알갱이로 얼마나 빽빽하게 구성되어 있는지를 뜻한다. 주먹만한 감자와 사과를 넣으면 감자는 가라앉고 사과는 뜬다. 만약 아주 작은 감자와 아주 큰 사과를 물에 넣는다면 어떻게 될지 추리하여 서술하시오. (단, 감자와 사과는 크기에 관계없이 속의 구성이 같다.)

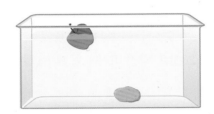

2 만약 물질의 속 구조를 관찰할 수 있다면 물질의 밀도를 쉽게 비교할 수 있다. 밀도가 서로 다른 나무토막과 금덩어리가 있다. 어느 것의 밀도가 더 큰지 알 수 있는 방법을 서술하시오.

약 135cm³

100g의 나무토막

약 5cm³

100g의 금덩어리

3 여러 가지 액체를 이용하여 액체탑을 쌓으려고 한다. 액체의 밀도를 비교할 수 있는
방법을 설계하시오.

4 여러 가지 액체를 이용하여 투명 컵에 액체탑을 쌓는 방법을 서술하시오.

1 입으로 분 풍선은 가라앉지만 놀이동산에서 산 풍선은 잘 뜬다. 그 이유를 서술하시오.

2 잠수함이나 잠수정이 물속에서 떴다 가라앉았다 할 수 있는 원리를 밀도를 사용하여 서술하시오.

3 바다에 기름이 유출되면 흡착포를 이용하고 국 위에 기름이 뜨면 숟가락으로 살짝 떠서
기름을 제거한다. 우리 생활에서 밀도 차이를 이용하는 경우를 3가지 쓰시오.

4 식용유와 알코올과 같은 다른 액체를 사용하지 않고 물만 이용하여 액체탑을 쌓을 수
있는 방법을 2가지 고안하시오.

탐구보고서

① 탐구 주제 (제목)

② 탐구 문제 (가설)

③ 탐구 방법

④ 탐구 결과 (표 또는 그래프로 작성)

⑤ 탐구 결론

⑥ 탐구에 대한 나의 의견 (고민, 아쉬운 점, 느낀점, 새로 알게 된 점, 더 연구하고 싶은 점)

활동 평가표

주제	층층이 쌓인 액체탑			
영역	평가 기준	평가 척도		
		우수	보통	노력요함
활동 목표 성취	액체탑을 쌓을 수 있는 원리를 설명할 수 있었다.			
	학습했던 과학 원리를 응용하여 액체의 밀도를 비교할 수 있는 방법을 고안할 수 있었다.			
	여러 층의 액체탑을 쌓으면서 창의적 문제해결력을 기를 수 있었다.			
	이 수업을 통해 통합능력과 의사소통능력이 향상되었다.			
융합·연계 분야 촉진	과학(S) 나는 액체탑을 쌓을 수 있는 원리를 이해하기 위해 노력하였다.			
	기술(T) 나는 액체들의 밀도를 비교하기 위하여 주어진 준비물을 기능에 맞게 변형하는 능력을 발휘하였다.			
	공학(E) 나는 액체들의 밀도를 비교하기 위한 알맞은 방법을 찾기 위해 노력하였다.			
	예술(A) 나는 여러 층의 액체탑을 시각적으로 구분되고 돋보이게 하기 위해 노력하였다.			
	수학(M) 나는 각 액체의 밀도를 비교하는 과정에서 결과를 수학적으로 해석하기 위해 노력하였다.			
종합 및 기타 의견				

평가 시 유의사항

※ 활동 평가표는 팀별 프로젝트 활동 중 또는 활동이 끝난 후 작성한다.

※ 활동 평가표의 작성 및 평가 시 유의점은 아래와 같다.

- '평가 척도'는 우수, 보통, 노력 요함이며 해당되는 란에 V표 한다.
- 활동 목표는 이 수업을 통해 얻게 된 결과물을 중심으로 평가한다.
- 융합·연계분야 성취는 이 활동을 통해 얻게 되는 융합 교육적 효과를 중심으로 평가한다.
- 종합 및 기타 의견에는 수업과 관련한 특이사항 및 종합, 느낀 점, 기타 사항을 기술한다.

영재교육원 대비

안쌤의 창의적 문제해결력

과학 5

3·4학년

전기회로 아트

우리 생활에 꼭 필요한 전기는 눈에 보이지 않고 손으로 만질 수도 없다. 전기가 흐르고 있음을 어떻게 알 수 있을까?

물이 물길을 따라 흐르는 것처럼, 전기에도 길을 만들어주면 길을 따라 흐른다. 이렇게 전기가 흐르는 것을 전류라고 하고, 전기가 흐를 수 있게 연결한 것을 전기회로라고 한다.

철, 알루미늄, 구리 등의 금속 물질로 이루어진 물체는 전기회로에 연결하면 전구에 불이 켜지거나 모터가 회전한다. 하지만 나무, 고무, 유리, 플라스틱 등의 물질로 이루어진 물체는 전기회로에 연결해도 전구에 불이 켜지지 않고 모터가 회전하지 않는다. 금속은 전기가 통하는 성질이 있고, 나무, 고무, 유리, 플라스틱은 전기가 통하지 않는 성질이 있다. 이와 같이 전기가 통하는 물질을 도체라고 하고, 전기가 통하지 않는 물질을 부도체라고 한다.

도체와 부도체를 이용하여 전기회로 아트를 만들어 보자.

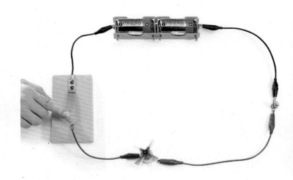

⬆ 전기회로

⬆ 컴퓨터 메인보드 전기회로

1 LED가 연결된 전기 회로에 컬러점토를 연결하면 어떻게 되는지 서술하시오.
(단, LED의 긴다리는 (+)극, 짧은 다리는 (−)극에 연결한다.)

2 LED가 연결된 전기 회로에 고무찰흙을 연결하면 어떻게 되는지 서술하시오.

3 LED와 컬러점토가 서로 연결된 회로에서 컬러점토가 서로 붙으면 어떻게 되는지 서술하시오.

4 LED와 컬러점토가 서로 연결된 회로에서 컬러점토 사이에 고무찰흙을 연결하면 어떻게 되는지 서술하시오.

1 컬러점토의 굵기와 길이에 따른 LED의 밝기를 비교하시오.

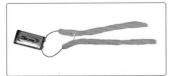  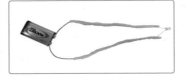

[1] 컬러점토의 굵기는 일정하게 하고 길이를 다르게 하여 LED를 꽂았을 때 차이점을 서술하시오.

[2] 컬러점토의 길이는 일정하게 하고 굵기를 다르게 하여 LED를 꽂았을 때의 차이점을 서술하시오.

2 컬러점토를 이용하여 LED 2개를 직렬과 병렬로 연결한 모습을 그리고, 두 회로의 차이점을 서술하시오.

직렬회로

병렬회로

차이점

3 컬러점토, 고무찰흙, LED, 전지, 전선을 이용하여 독창적인 컬러점토 전기회로 아트를 설계하시오.

1 백열등은 1879년 에디슨이 제작에 성공한 이후 100여 년 동안 지구의 밤을 밝혀왔다. 그러나 이제 백열등은 형광등과 LED에 밀려 사라지게 되었다. 유럽연합(EU)은 2012년부터, 호주와 한국은 2013년부터 백열등 사용을 제한하였다. 여러 국가에서 백열등의 사용을 제한하는 이유를 서술하시오.

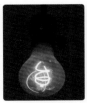
⬆ 백열등

⬆ 형광등

⬆ LED

2 2011년 5월 12일 런던 히드로공항으로 착륙하던 비행기가 번개를 맞았다. 번개는 수억 볼트의 전기의 흐름으로 번개를 맞으면 매우 위험하다. 그러나 이 비행기에 탄 승객과 승무원 500여 명은 모두 아무런 부상을 당하지 않은 채 무사히 착륙했다. 비행기가 번개를 맞아도 안전한 이유를 추리하여 서술하시오.

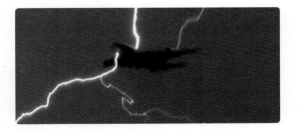

3 섬유, 플라스틱, 고무, 종이는 전기가 통하지 않는 부도체이다. 그러나 전기가 흐르는 옷, 플라스틱, 고무, 종이 등이 개발되고 있다.

국제섬유박람회(PID)에서 옷에서 피아노 소리가 나는 옷, LED로 구현한 이브닝 드레스 등 최첨단 IT기술을 패션에 접목한 새로운 옷을 선보였다. 전도성 섬유(원단)로 피아노 건반 모양으로 옷을 만들어 건반을 누르면 도레미 등 음계에 맞는 소리가 난다. 또 LED가 장착된 단추를 누르면 빨강, 노랑, 파랑 등 다양한 색깔들로 바뀐다.
섬유 속이나 표면에 탄소나 금속 등의 전도성 물질을 섞으면 전기가 흐르는 섬유를 만들 수 있다. 전도성 섬유는 전기전도성이 우수할 뿐 아니라 접힘, 휘어짐, 온도 및 습도 등의 자극에도 뛰어난 내구성을 갖게 된다.

전도성 섬유를 이용해 새로운 옷을 디자인하시오.

탐구보고서

① 탐구 주제 (제목)

② 탐구 문제 (가설)

③ 탐구 방법

4 탐구 결과 (표 또는 그래프로 작성)

5 탐구 결론

6 탐구에 대한 나의 의견 (고민, 아쉬운 점, 느낀점, 새로 알게 된 점, 더 연구하고 싶은 점)

🧪 활동 평가표

주제	전기회로 아트			
영역	평가 기준	평가 척도		
		우수	보통	노력 요함
활동 목표 성취	전기회로를 해석하고 설명할 수 있었다.			
	학습했던 과학 원리를 응용하여 전기회로 아트를 디자인할 수 있었다.			
	전기회로 아트를 디자인하면서 창의적 문제해결력을 기를 수 있었다.			
	이 수업을 통해 통합능력과 의사소통능력이 향상되었다.			
융합·연계 분야 촉진	**과학(S)** 나는 전기회로에서 흐르는 전류와 저항의 관계를 이해하기 위해 노력하였다.			
	기술(T) 나는 컬러점토와 고무찰흙을 적절하게 사용하여 전기회로 아트를 디자인하였다.			
	공학(E) 나는 단락없이 LED에 불이 잘 들어오는 디자인을 고안하기 위해 노력하였다.			
	예술(A) 나는 새롭고 창의적인 전기회로 아트를 디자인을 하기 위해 노력하였다.			
	수학(M) 나는 컬러점토와 고무찰흙의 저항을 수학적으로 해석하여 전기회로 아트를 디자인하였다.			
종합 및 기타 의견				

평가 시 유의사항

※ 활동 평가표는 팀별 프로젝트 활동 중 또는 활동이 끝난 후 작성한다.

※ 활동 평가표의 작성 및 평가 시 유의점은 아래와 같다.

- '평가 척도'는 우수, 보통, 노력 요함이며 해당되는 란에 ∨표 한다.
- 활동 목표는 이 수업을 통해 얻게 된 결과물을 중심으로 평가한다.
- 융합·연계분야 성취는 이 활동을 통해 얻게 되는 융합 교육적 효과를 중심으로 평가한다.
- 종합 및 기타 의견에는 수업과 관련한 특이사항 및 종합, 느낀 점, 기타 사항을 기술한다

영재교육원 대비

안쌤의 창의적 문제해결력

과학

6

3·4
학년

축구화 스터드의 역할

1954 스위스 월드컵 우승은 예상치도 못한 서독의 차지가 됐다. 서독은 스터드(stud, 발바닥 징)가 박힌 혁신적인 축구화를 신고 당시 세계 최강으로 꼽히던 헝가리를 물리치고 우승했다. 당시 서독 선수들의 기량도 뛰어났지만 아디다스가 만든 스터드 탈부착식 축구화가 위력을 발휘했기 때문이라는 평가가 많다. '베른의 기적'으로 불리는 서독 우승 이후 스포츠용품 회사들은 가볍고 기능이 좋은 축구화를 만들기 위해 노력했다.

원래 축구는 종목 특성상 축구공, 유니폼, 축구화 외에는 다른 장비가 거의 필요 없다. 축구공과 유니폼도 시간이 흐를수록 업그레이드 됐지만 축구화만큼 드라마틱한 발전을 겪지는 않았다. 일반 신발 밑바닥에 가죽을 덧댄 초기 축구화는 1920년 아디다스의 창업자 아디 다슬러가 최초로 스포츠화를 제작한 것이 기폭제가 되어 발전하기 시작했다. 특히 1925년 처음으로 스터드를 댄 축구화가 나온 데 이어 1954년에는 탈부착식 스터드 축구화가 나왔다.

축구화 무게도 점점 가벼워졌다. 예전에 외피로 가죽을 쓸 때는 한쪽 무게가 300g을 넘었지만 점차 초극세사로 짠 특수섬유를 사용하면서 200g 밑으로 떨어졌다. 2002 한일 월드컵 당시 브라질 호나우두의 축구화 한쪽이 200g밖에 되지 않아 화제가 됐었는데, 2014 브라질 월드컵에서 메시의 축구화는 165g으로 더욱 가벼워졌다.

1 운동장에서는 운동화를 신고 달려도 잘 미끄러지지 않는데 얼음판에서는 운동화를 신고 살짝만 움직여도 미끄러지고 넘어진다. 운동장과 얼음판에서 운동화를 신고 움직일 때 차이가 나는 이유를 서술하시오.

2 맨발로 모래사장을 걸으면 모래가 얕게 파이는데 뾰족한 하이힐을 신고 걸으면 구두굽이 모래에 깊이 박혀 걷기가 힘들다. 모래사장에서 맨발과 하이힐을 신고 걸을 때 차이가 나는 이유를 서술하시오.

1 축구 경기 규정에 축구화를 꼭 신어야 한다는 규정은 없다. 19세기 축구화는 일반적인 운동화였고, 1930년대까지 축구화는 목이 긴 부츠 스타일이었다. 요즘 대부분의 선수는 다른 스포츠 종목의 신발과 달리 신발 바닥에 스터드라고 불리는 징이 박혀 있는 축구화를 신는다. 축구 선수들이 스터드가 박혀있는 축구화를 신는 이유를 서술하시오.

2 2014년 1월 코스타리카와의 친선전 경기를 앞둔 축구 국가대표팀 선수들은 한국에서 자신들이 즐겨 신던 FG 축구화 대신 SG 축구화를 신었다. 경기가 벌어질 축구장의 잔디 상태는 짧고 일정해 좋았지만, 큰 일교차 때문에 그라운드에 이슬이 잘 맺히고 전체적으로 미끄러웠기 때문이다. 미끄러운 축구장에서 금속 재질의 길이가 긴 스터드가 적게 박힌 SG 축구화를 신는 것이 유리한 이유를 서술하시오.

◆ FG 축구화　　◆ SG 축구화

3 축구 선수들은 축구 경기장의 환경에 따라 스터드의 모양과 개수가 다른 축구화를 신는다. 스터드는 선수들의 체중을 분산 또는 집중시켜 운동장에서 효과적으로 공격하고 수비할 수 있도록 도와준다. 힘을 효과적으로 분산시킬 수 있는 구조를 추리하여 서술하시오.

힘의 분산

4 힘의 분산을 이용하여 여러 개의 나무젓가락과 고무줄로 달걀이 깨지지 않는 낙하 장치를 그림과 함께 설계하시오.

1 월드컵 경기를 보면 선수들의 유니폼은 같은데, 축구화는 모두 다르다. 순간적인 스피드와 민첩성, 정교한 동작을 요구하는 공격수와 갑자기 빠르게 방향을 꺾어야 하는 경우가 많은 수비수는 스터드의 개수가 서로 다른 축구화를 신는다. 다음 두 축구화를 공격수와 수비수의 신발로 구분하고 그 이유를 서술하시오.

(가)　　　　(나)

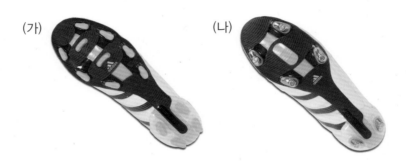

2 송곳은 끝을 뾰족하게 만들어 힘을 집중시켜서 두꺼운 종이에도 쉽게 구멍을 뚫을 수 있다. 송곳처럼 우리 주위에서 힘을 집중시켜서 사용하는 경우를 찾아 3가지 쓰시오.

3 전통적으로 멋과 안전성, 편의성 등이 강조되던 신발에 첨단기술이 접목되어 기능성, 실용성이 강조된 '발열 신발', '미끄럼방지 신발'의 특허출원 및 판매가 증가하고 있다. 겨울철에는 눈이나 비가 얼어 붙어 지면과 신발의 마찰력이 줄어 들어 낙상 사고가 자주 발생하고, 여름에는 물이 지면과 신발의 마찰력을 줄여 낙상 사고가 자주 발생한다. 여름 또는 겨울에 미끄럼을 방지할 수 있는 미끄럼 방지 신발을 고안하시오.

탐구보고서

① 탐구 주제 (제목)

② 탐구 문제 (가설)

③ 탐구 방법

④ 탐구 결과 (표 또는 그래프로 작성)

⑤ 탐구 결론

융합사고 **3** STEP

⑥ 탐구에 대한 나의 의견 (고민, 아쉬운 점, 느낀점, 새로 알게 된 점, 더 연구하고 싶은 점)

🧪 활동 평가표

주제	축구화 스터드의 역할			
영역	**평가 기준**	**평가 척도**		
		우수	보통	노력 요함
활동 목표 성취	축구 선수들이 축구화를 신는 이유를 설명할 수 있었다.			
	학습했던 과학 원리를 응용하여 깨지지 않는 달걀 낙하 장치를 디자인 할 수 있었다.			
	깨지지 않는 달걀 낙하 장치를 디자인하면서 창의적 문제해결력을 기를 수 있었다.			
	이 수업을 통해 통합능력과 의사소통능력이 향상되었다.			
융합·연계 분야 촉진	과학(S) | 나는 깨지지 않는 달걀 낙하 장치에 적용된 힘의 분산을 이해 하기 위해 노력하였다.			
	기술(T) | 나는 깨지지 않는 달걀 낙하 장치를 만들기 위해 주어진 준비 물을 기능에 맞게 변형하는 능력을 발휘하였다.			
	공학(E) | 나는 힘의 분산이 잘 일어나는 구조로 깨지지 않는 달걀 낙하 장치를 디자인하기 위해 노력하였다.			
	예술(A) | 나는 새롭고 창의적인 깨지지 않는 달걀 낙하 장치를 디자인 을 하기 위해 노력하였다.			
	수학(M) | 나는 깨지지 않는 달걀 낙하 장치에서 나타나는 힘의 분산을 수학적으로 해석하기 위해 노력하였다.			
종합 및 기타 의견				

평가 시 유의사항

※ 활동 평가표는 팀별 프로젝트 활동 중 또는 활동이 끝난 후 작성한다.

※ 활동 평가표의 작성 및 평가 시 유의점은 아래와 같다.

- '평가 척도'는 우수, 보통, 노력 요함이며 해당되는 란에 ∨표 한다.
- 활동 목표는 이 수업을 통해 얻게 된 결과물을 중심으로 평가한다.
- 융합·연계분야 성취는 이 활동을 통해 얻게 되는 융합 교육적 효과를 중심으로 평가한다.
- 종합 및 기타 의견에는 수업과 관련한 특이사항 및 종합, 느낀 점, 기타 사항을 기술한다

영재교육원 대비

안쌤의 창의적 문제해결력

과학

7

3·4
학년

어벤져스의 오류

국가기밀기관에서 큐브라는 위험한 물건을 보관하는데 큐브가 말썽을 피운다. 다른 차원에서 살고 있는 지구를 지배할 마음을 가지고 있는 토르의 동생인 로키가 박사 한 명과 호크 아이 영웅의 뇌를 조정하여 큐브를 훔친다.

에너지원 '큐브'를 이용한 적의 등장으로 인류가 위험에 처하자 국제평화유지기구인 쉴드의 국장 닉 퓨리는 어벤져스 작전을 위해 전 세계에 흩어져 있던 슈퍼히어로들을 찾아 나선다. 아이언맨, 토르, 헐크, 캡틴 아메리카, 쉴드의 요원인 블랙 위도우, 호크 아이가 어벤져스의 멤버로 모이게 되지만, 각기 개성이 강한 이들의 만남은 예상치 못한 방향으로 흘러간다. 콜슨 요원은 로키를 막으려다가 죽게 되고, 이후 이들은 다시 뭉친다.

로키는 큐브를 작동시켜서 치타우리 전사들을 지구로 부르고, 어벤져스 멤버들이 이들을 막아보긴 하지만 전사들의 인원이 너무 많아 해결하지 못한다. 결국 로키의 창으로 큐브를 멈추고, 아이언맨이 미군이 쏜 핵미사일을 적진으로 유도시켜서 전투를 마무리한다. 로키는 어벤져스 멤버들에게 둘러싸여 포위당하고 토르가 수갑을 채운 채로 아스가르드로 데리고 가며 영화가 끝난다.

1 영화 어벤져스에서 나타나는 과학적 오류를 다음 영화 장면에서 찾아 서술하시오.

1 각 경우를 직접 실험해 본 후 결과를 기록하고, 그 이유를 서술하시오.

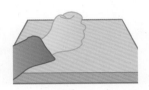

① 손에 힘을 주고 책상을 힘껏 내리친다.

② 양말을 신고 벽을 세게 민다.

③ 제자리에 서서 양발로 땅을 힘껏 밀어 찬다.

작용·반작용

2 빨대와 풍선으로 빨대 헬리콥터를 만들고 결과를 서술하시오.

① 풍선을 구부러지는 빨대와 연결한 후 테이프로 붙인다.
② 수수깡 위에 빨대를 올리고 중심을 잡는다.
③ 구부러지는 빨대와 수수깡을 시침핀으로 연결한다.
④ 빨대 끝을 불어 풍선을 부풀게 한 후 놓아본다.

3 빨대 헬리콥터가 오랫동안 회전하려면 어떻게 해야 할까? 가설을 세우시오.

4 **3**에서 세운 가설을 확인할 수 있는 실험을 설계하시오.

1 플라스틱 병에 소다를 녹인 물을 넣은 후 식초를 넣고 재빨리 입구에 스타이로폼 공을 끼운 후 저울 위에 올린다. 시간이 지난 후 병과 저울에서 나타나는 변화를 추리하여 서술하시오.

2 우주에서는 한 사람이 다른 사람을 밀면 밀었던 사람도 같이 뒤로 밀려나지만, 지구에서는 우주에서만큼 뒤로 밀려나지 않는다. 그 이유를 우주와 지구의 특징과 관련지어 서술하시오.

작용 · 반작용(우주)

3 영화, 애니메이션, 광고, 게임 등 각종 영상매체를 만들기 전에 작품의 줄거리나 화면 구성 등 작품의 흐름을 시각적으로 그려 놓은 삽화를 스토리보드라고 한다. 헐크와 토르의 격투 장면을 과학적 오류가 나타나지 않도록 스토리를 재구성하시오.

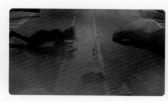  

	시나리오 :
	대사 :
	시나리오 :
	대사 :
	시나리오 :
	대사 :
	시나리오 :
	대사 :
	시나리오 :
	대사 :

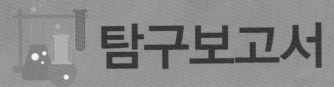

탐구보고서

① 탐구 주제 (제목)

② 탐구 문제 (가설)

③ 탐구 방법

④ 탐구 결과 (표 또는 그래프로 작성)

⑤ 탐구 결론

⑥ 탐구에 대한 나의 의견 (고민, 아쉬운 점, 느낀점, 새로 알게 된 점, 더 연구하고 싶은 점)

🧪 활동 평가표

주제	어벤져스의 오류			
영역	**평가 기준**	평가 척도		
		우수	보통	노력 요함
활동 목표 성취	어벤져스에서 과학적 오류를 찾을 수 있었다.			
	학습했던 과학 원리를 응용하여 빨대 헬리곱터가 오래 회전하는 조건을 알아보는 실험을 계획할 수 있었다.			
	오랫동안 돌아가는 빨대 헬리곱터의 조건을 알아보는 실험을 계획하면서 창의적 문제해결력을 기를 수 있었다.			
	이 수업을 통해 통합능력과 의사소통능력이 향상되었다.			
융합 · 연계 분야 촉진	과학(S) 나는 빨대 헬리곱터에 적용된 작용 • 반작용 법칙을 이해하기 위해 노력하였다.			
	기술(T) 나는 오랫동안 돌아가는 빨대 헬리곱터의 조건을 알아보는 실험을 계획하면서 각 요소를 적절하게 변형하는 능력을 발휘하였다.			
	공학(E) 나는 작용 • 반작용의 힘으로 빨대 헬리곱터가 잘 돌아갈 수 있도록 만들기 위해 노력하였다.			
	예술(A) 나는 어벤져스의 한 장면을 과학적 오류가 없는 재미있는 스토리로 만들기 위해 노력하였다.			
	수학(M) 나는 각 조건에 따른 실험 결과를 수학적으로 해석하려고 노력하였다.			
종합 및 기타 의견				

평가 시 유의사항

※ 활동 평가표는 팀별 프로젝트 활동 중 또는 활동이 끝난 후 작성한다.

※ 활동 평가표의 작성 및 평가 시 유의점은 아래와 같다.

– '평가 척도'는 우수, 보통, 노력 요함이며 해당되는 란에 ∨표 한다.

– 활동 목표는 이 수업을 통해 얻게 된 결과물을 중심으로 평가한다.

– 융합 · 연계분야 성취는 이 활동을 통해 얻게 되는 융합 교육적 효과를 중심으로 평가한다.

– 종합 및 기타 의견에는 수업과 관련한 특이사항 및 종합, 느낀 점, 기타 사항을 기술한다

안쌤의 창의적 문제해결력

과학

8

3·4
학년

공기의 힘, 헤론의 분수

주말 저녁에 일산 호수 공원에 가면 호수 가운데에서 커다란 분수가 음악에 맞춰 물을 뿜어 올리는 모습을 볼 수 있다. 조명까지 더해진 이 분수쇼는 아주 멋진 모습으로 물을 뿜어낸다.

분수는 고대 문명때부터 존재했다. 중세 르네상스 시대에는 조각을 동반한 분수가 등장했다. 이런 분수들은 귀족들의 권위를 상징하면서 귀족들의 사적인 정원에 설치되었고, 공공 광장이나 공원 등에도 대규모의 분수가 설치되기도 했다. 1960년대 이후에는 도시 속에서 자연을 즐기기 위해 분수를 많이 설치하여 우리 주변 가까이에서도 분수를 볼 수 있게 되었다.

분수는 용도에 따라 실용적인 분수와 장식적인 분수로 나뉜다. 실용적인 분수는 이슬람 사원이나 가톨릭 성당 앞뜰 등 주로 종교적인 장소에 많이 설치했다. 실용적인 분수는 신자들이 참배에 앞서 손이나 얼굴, 발 등 몸을 깨끗이 씻을 수 있는 물을 공급하는 용도이다. 장식적인 분수는 신을 숭상하고 영웅을 숭배하는 뜻에서 만들어진 것이다.

사우디아라비아에 있는 제다(Jeddah) 분수는 높이 311 m로 물기둥을 쏘아 올리는 세계 거대 분수이다. 우리나라 목포 앞바다에 있는 춤추는 바다 분수 역시 웅장한 분수 중 하나이다.

보통 물은 위에서 아래로 떨어지는 것이 자연스러운 현상이다. 그런데 분수는 어떻게 반대인 아래에서 위로 물이 뿜어져 나올까?

[목포의 춤추는 바다 분수]

1 일반 분수는 수조에 있는 물을 전기를 이용한 펌프의 힘으로 급수라인에 연결된 노즐을 통해 분출시켜 원하는 모양을 얻는다. 그러나 전기가 없었던 시대의 분수는 어떻게 물을 아래에서 위로 올렸는지 자신의 생각을 서술하시오.

2 빨대로 병 속의 물을 마셔보자.

[실험 1]
① 페트병이나 유리병에 물을 절반 정도 담고 빨대를 꽂는다.
② 빨대로 물을 빨아들인다.

[실험 2]
① 페트병이나 유리병에 물을 절반 정도 담고 빨대를 꽂는다.
② 빨대와 병 입구 사이를 고무찰흙이나 글루건을 이용하여 빈틈없이 붙인다.
③ 빨대로 물을 빨아들인다.

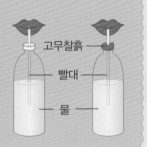

[실험 1]과 [실험 2]의 결과는 어떤 차이가 있는가? 두 실험 결과와 차이가 생기는 이유를 서술하시오.

1 공기도 무게를 가지고 있기 때문에 압력이 생기는데, 이를 기압이라고 한다. 기압의 변화는 여러 가지 현상으로 알 수 있다.

> 높은 곳으로 올라갈수록 공기가 희박해져 기압이 낮아지므로,
> ① 비행기가 이륙하면 귀가 먹먹해진다.
> ② 비행기가 이륙하면 과자 봉지가 빵빵해진다.
> ③ 높은 산에서 밥을 하면 밥이 설익는다.

일상생활에서 기압 차이를 이용하는 경우를 찾아 서술하시오.

2 루이 14세는 자신의 이미지인 태양왕을 과시하기 위해 태양신 아폴로의 이미지로 베르사유 궁전을 설계했다. 베르사유 궁전의 정원에는 1,400개의 분수가 있었다. 전기 펌프가 없던 당시에 어떻게 분수를 만들었을까? 고대 그리스의 과학자 헤론은 전기나 배터리 같은 외부 에너지가 없어도 오랫동안 물이 뿜어져 나오는 분수를 고안하였다. 헤론의 분수 동영상을 시청하고, 원리를 서술하시오.

헤론의 분수

3 페트병과 빨대를 이용하여 만들 수 있는 헤론의 분수를 디자인하고, 물과 공기의 이동을 화살표로 표시하시오.

4 내가 디자인한 헤론의 분수에서 물이 뿜어져 나오는 과정을 원리와 함께 서술하시오.

1 헤론의 분수에서 분수의 물줄기를 높게 하는 방법을 서술하시오.

2 물을 다시 공급하지 않아도 헤론의 분수가 계속 작동할 수 있는 방법을 고안하시오.

3 다음 사진은 계영배라고 하는 술잔에 관한 내용이다.

고대 중국에서 하늘에 정성을 드리는 제천 의식을 위해 만들어진 계영배(경계할 界, 가득 찰 盈, 잔 杯)는 겉으로 보기에는 일반 술잔과 비슷하지만, 안쪽 중심에 관이 있고 바닥에 구멍이 뚫려 있다. 이 잔에 어떤 술이든 70 %가 되기 직전까지만 따르면 술을 모두 마실 수 있지만 70 % 이상을 채우면 술이 밑바닥 구멍으로 한 방울도 남지 않고 모두 새어 나간다. 계영배는 가득 참을 경계하라는 선조들의 교훈이 담긴 잔이다.

 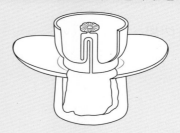

[1] 계영배의 내부 구조를 바탕으로 술이 70 %가 넘으면 모두 빠져나가는 이유를 추리하여 서술하시오.

계영배의 원리

[2] 물은 높은 곳에서 낮은 곳으로 흐르지만 사이펀의 원리를 이용하면 높은 곳의 물이 더 높은 곳을 지나 낮은 곳으로 흐르게 할 수 있다. 우리 주위에서 사이펀의 원리가 적용된 곳을 찾아 서술하시오.

탐구보고서

① 탐구 주제 (제목)

② 탐구 문제 (가설)

③ 탐구 방법

④ 탐구 결과 (표 또는 그래프로 작성)

⑤ 탐구 결론

⑥ 탐구에 대한 나의 의견 (고민, 아쉬운 점, 느낀점, 새로 알게 된 점, 더 연구하고 싶은 점)

🧪 활동 평가표

주제	공기의 힘, 헤론의 분수			
		평가 척도		
영역	평가 기준	우수	보통	노력 요함
활동 목표 성취	분수의 용도와 쓰임에 대해 말할 수 있었다.			
	학습했던 헤론의 분수의 원리를 바탕으로 페트병과 빨대를 이용한 헤론의 분수를 디자인할 수 있었다.			
	헤론의 분수를 디자인하면서 창의적 문제해결력을 기를 수 있었다.			
	이 수업을 통해 통합능력과 의사소통능력이 향상되었다.			
융합·연계 분야 촉진	과학(S) 나는 헤론의 분수에 적용된 원리를 이해하기 위해 노력하였다.			
	기술(T) 나는 실험 재료를 적절하게 활용하고 필요에 맞게 변형하는 능력을 발휘하였다.			
	공학(E) 나는 헤론의 분수의 물줄기가 강하고 높게 나올 수 있게 하기 위해 노력하였다.			
	예술(A) 나는 독창적이고 창의적인 헤론의 분수를 디자인하기 위해 노력하였다.			
	수학(M) 나는 헤론의 분수에 적용된 기압의 크기 변화를 수학적으로 해석하려고 노력하였다.			
종합 및 기타 의견				

평가 시 유의사항

※ 활동 평가표는 팀별 프로젝트 활동 중 또는 활동이 끝난 후 작성한다.

※ 활동 평가표의 작성 및 평가 시 유의점은 아래와 같다.

- '평가 척도'는 우수, 보통, 노력 요함이며 해당되는 란에 ∨표 한다.
- 활동 목표는 이 수업을 통해 얻게 된 결과물을 중심으로 평가한다.
- 융합·연계분야 성취는 이 활동을 통해 얻게 되는 융합 교육적 효과를 중심으로 평가한다.
- 종합 및 기타 의견에는 수업과 관련한 특이사항 및 종합, 느낀 점, 기타 사항을 기술한다.

안쌤이 추천하는

초등학생 과학 대회 안내

[연간 진행되는 과학 대회 중 주요 대회 리스트]

4월 **초등과학 창의사고력 대회**
– 서울교육대학교 주최

자유과학탐구대회
– 한국과학교육단체총연합회 주최

6월 **한국과학창의력대회**
– 한국과학교육단체총연합회 주최

9월 **영재교육 대상자 선발**
– 교육청 주최

기출문제

01 초등과학 창의 사고력대회

✎ **목적**

★ 초등학생의 과학에 대한 흥미를 증진시키고, 과학에 대한 관심과 이해 정도를 파악할 수 있는 기회를 제공한다.

✎ **주최 · 주관** 서울교육대학교 기초과학연구원

✎ **대상 및 참가인원**

★ 대상 : 전국 초등학교 3, 4, 5, 6학년 학생

★ 참가비 : 40,000원(접수비 6,000원 포함)

✎ **일시 및 장소**

★ 접수기간 : 4월 (홈페이지 참고)

★ 시험일시 : 4월 (홈페이지 참고)

★ 시험장소 : 서울교육대학교

✎ **시험 형식 및 출제 방향**

★ 시험 형식 : 주관식(단답형 + 서술형) 문항다.

★ 출제범위 : 하위 학년 전 과정~해당 학년 1학기 전 과정

★ 출제방향

– 학교에서 학습한 모든 과목의 기초 지식을 활용하여 창의적으로 문제를 해결하는 능력을 평가한다.

– 6개 과학 창의 역량(비교 · 분류, 모형사용, 정보해석, 탐구설계, 일반화, 해결방안 도출)의 수준을 평가한다.

✎ **홈페이지** http://bsedu.snue.ac.kr

3·4학년(모형 사용)

1. 다음은 민들레 씨앗이 바람을 타고 멀리 날아가는 모습이다.

① 민들레 씨앗이 멀리 날아갈 수 있게 하는 민들레 씨앗만의 특징이 무엇인지 쓰시오.

[모범답안] 씨앗에 털이 붙어 있다.

[해설] 민들레 씨앗은 바람을 타고 100km 넘게 날아간다.

② 민들레 씨앗이 멀리 날아가는 것과 같은 원리를 이용하는 기구를 한 가지 쓰시오.

[모범답안] 낙하산, 공기를 이용하여 떨어지지 않고 멀리 이동한다.

4학년(탐구설계)

1. 현주는 단풍나무 씨앗이 빙글빙글 돌면서 천천히 떨어지는 것을 보고, 그림과 같은 종이 모형을 만들어 떨어뜨려 보았다. 현주는 더 오래 날 수 있는 모형을 만들고 싶었다. 그래서 원래 모형보다 날개의 크기를 더 크게 만들어 같은 위치에서 동시에 떨어뜨려 보았다.

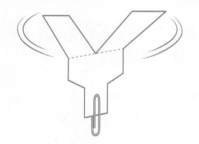

① 현주는 모형이 떨어지는 빠르기에 영향을 준 요인을 무엇이라고 생각하였는지 쓰시오.

[모범답안] 날개의 크기

② 현주의 궁금증을 해결하기 위해 무엇을 측정해야 하는지 쓰시오.

[모범답안] 날개의 크기, 모형이 떨어지는 데 걸린 시간

③ 현주가 생각한 요인 이외에 모형이 떨어지는 빠르기에 영향을 주는 요인을 두 가지 더 생각해서 쓰시오.

[모범답안] 모형의 무게, 바람의 세기

02 자유과학탐구대회

🔍 목적

★ 과학에 대한 관심과 흥미를 가지고 학습하는 자기주도적 과학탐구 능력을 신장시킨다.

★ 다양한 과학탐구와 체험활동을 통하여 과학 탐구력과 창의력 및 과학적 핵심역량을 함양한다.

★ 과학 원리를 적용하여 생활 속 문제를 창의적으로 해결하는 창의·융합능력을 신장시킨다.

🔍 개요

★ 과학에 관심과 흥미를 가진 초·중·고등학교 학생이 참가한다.
참가대상은 초등학교 5, 6학년, 중학교 1, 2학년, 고등학교 1, 2학년 학생이다.

★ 학교 밖 과학교육의 일환으로 교실 수업에서 수행할 수 없는 다양한 과학탐구와 체험활동을 할 수 있는 기회를 제공한다.

★ 학생 스스로 다양한 과학 분야 탐구주제에 대하여 자유롭게 과학탐구를 수행한다.

★ 학생 개인이 탐구활동 전 과정을 자기 주도적으로 수행하는 것을 원칙으로 한다.

★ 탐구주제는 자유탐구의 성격에 맞게 참가자 스스로 관심 있는 내용을 자유롭게 선정한다.

★ 지도교사(같은 학교 1명)의 지도는 안전에 관한 지도, 학생의 질문에 대한 지도·조언 등으로 최소한으로 하고, 지도를 받은 내용은 보고서에 명시한다.

🔍 예선대회

★ 시·도 과교총 주관으로 시행한다.

★ 참가대상 : 과학에 관심과 흥미를 가진 초 중 고 학생으로 온라인 자유과학탐구대회 운영 안내에 따라 해당 학교의 학교장 추천자, 학교당 2명 이내

★ 예선대회 개최 기간 : 4월~7월 중

★ 탐구 주제는 자유롭게 정한다.

★ 탐구 기간(4주 이상 권장)을 정해 주고, 탐구 결과를 보고서로 제출한다.

🔍 전국대회

★ 한국과학교육단체총연합회 주관으로 실시한다.

★ 탐구보고서 심사 결과 발표 : 8월 중

★ 온라인 발표대회 : 8월 중

　- 발표 장소 : 학교 소재의 시 · 도 과교총에서 지정한 장소

　- 발표자 수 : 초등학생 15명, 중학생 15명, 일반계 고등학생 15명, 과학고 · 영재학교 6명

　- 발표자는 대회 안내에 따라 자기 스스로 탐구한 자유과학탐구 내용을 발표한다.

　- 발표는 순서에 따라 대기 10분, 발표 10분, 질의응답 5분으로 진행한다.

　- 발표는 자신의 탐구보고서를 중심으로 하며, 발표 시간을 준수하도록 한다.

　- 심사위원 협의를 통해 탐구보고서 평가 시 사전 준비 질문 2문항을 중 택 1, 현장 온라인 발표 시 질문 1문항을 질의하여 심사 평가에 활용한다.

🔍 평가기준

★ 보고서

항목	내용	배점(%)
창의성	탐구 과정의 과학적 창의성	40
과학적 사고	과학 원리를 연계 적용하여 해결하려고 노력	30
자기 주도성	탐구 전 과정에 대해 자기주도적 참여	20
명확성	해결과제, 목적, 절차, 결론에 대해 정확한 이해	10
총점		100

★ 발표대회

항목	내용	배점(%)
탐구과정	• 자기주도적으로 탐구한 자유과학탐구 내용인가? –탐구주제(탐구과제), 탐구동기, 조사 및 탐구방법, 탐구 내용 및 결과 등 [20점] • 탐구를 통해 알게 된 점이 학문적, 사회적, 과학적으로 가치가 있는가? [20점]	40
탐구태도	• 생활 속 문제 발견을 통해 궁금한 점을 과학 원리에 연계 적용하여 해결하려는 과학적 사고 활동인가? [10점] • 해결과제에 대해 정확히 이해하고, 탐구하였는가? [10점] • 결과 도출을 위한 변인 설정이 명확하고, 절차가 적절한가? [10점]	30
탐구 사고력	• 각 탐구과정이 과학적 사고에 기반한 문제 해결력 있는 창의 융합적인 과정인가? [10점] • 해결하려는 과제에 대한 결과가 정확하고, 명확한가? –여러 번의 탐구과정을 거쳐 나온 결과인가? [5점]	15
기술성 및 명확성	• 학생이 수행할 수 있는 과제인가? 또한 학생들이 전 과정에 대해 주도적으로 참여하였는가? [10점] –교사의 지도 및 전문가 지도(멘토)가 이루어졌는가? [감점] • 데이터 및 결과에 대한 설명이 정확한가? [5점] –데이터의 조작 등의 문제는 없는가? [감점]	15
총점		100

★ 공개 검증

– 수상자 후보가 선정이 되면 보고서를 홈페이지에 올려 사전 공개 검증한다.

– 최우수상, 금상, 은상 후보까지는 보고서 공개, 동상과 장려상은 보고서 주제만 공개한다.

– 공개 검증 만료 후 이의 제기가 없는 경우 수상 후보작들은 최종 수상자로 확정된다. 결격 사유가 확인되는 경우 수상에서 제외한다.

🔍 홈페이지 http://www.kofses.or.kr/compet/student_01_22.htm

🔍 2021년 수상자

⭐ 초등학교

상급	제목
최우수상	환경을 지키는 한 걸음, 친환경 빨대에 대한 탐구
금상	남강댐 치수증대사업이 사천만의 갯벌 생태계에 어떤 영향을 미칠까?
금상	심각한 미세플라스틱 오염을 줄일 수 있는 친환경 아이스 팩 만들기
금상	전분물의 비뉴턴 유체 특징에 대한 탐구
금상	영양제의 농도에 따른 카네이션 꽃의 성장 속도 비교탐구
금상	밀떡과 쌀떡은 어떤 차이가 있을까?

⭐ 중학교

상급	제목
최우수상	초콜릿은 왜 은박지로 포장할까? –초콜릿의 녹는 정도에 따른 포장지의 종류에 대한 탐구–
금상	자외선의 종류와 노출 시간에 따른 표백작용 및 자외선 차단제가 표백작용에 미치는 영향
금상	얼음이 만들어지는 과정에 따른 융해 속도 차이에 대한 탐구
금상	마스크의 기능과 형태에 따른 소리 크기 감소 정도에 대한 실험
금상	전분을 이용하여 튼튼한 친환경 종이 화분을 만들 수 있을까?
금상	연령에 따른 가청주파수와 마스킹효과를 이용한 〈개인별 맞춤 이명치료 보조기〉 연구

03 한국과학창의력대회

👓 목적

★ 4차 산업혁명을 능동적으로 이끌어 갈 창의성과 리더십을 가진 창의융합 인재 육성한다.

★ 과학적으로 사고하는 능력과 창의적으로 문제를 해결하는 창의 · 융합과학적인 사고력 신장한다.

👓 개요

★ 탐구과제는 학교 교육과정을 바탕으로 학생들이 스스로 해결할 수 있는 주제를 제시한다.

★ 주어진 탐구과제에 따라 창의적으로 과제를 해결하고, 그 결과를 탐구보고서로 제출한다.

★ 탐구는 학생 개인이 남의 도움을 받지 않고 탐구활동 전 과정을 자기 주도적으로 수행해야 한다.

★ 참가대상은 과학에 관심과 흥미를 가지고 과학 관련 활동을 열심히 하는 학생으로, 초등학교는 4~6학년, 중 · 고등학교는 1~3학년 학생으로 한다.

★ 참가 희망자는 소속 학교장의 추천을 받아 학교장추천서를 한국과교총에 제출. 추천은 학교별 3명까지 할 수 있다.

★ 발표대회는 온라인(쌍방향 화상회의시스템) 발표로 실시한다.

👓 예선대회

★ 한국과학교육단체총연합회 주관으로 실시한다.

★ 탐구보고서 제출 : 6월 중

👓 전국대회

★ 한국과학교육단체총연합회 주관으로 실시한다.

★ 방법 : 줌(Zoom)을 이용한 온라인 실시간 원격(쌍방향 화상회의시스템)

★ 예선 대회 결과 발표 : 7월 중

★ 온라인 발표대회 : 7월 중

　－발표 장소 : 학교 소재의 시 · 도 과교총에서 지정한 장소(학부모 참관 금지)

- 발표자 수 : 예선대회(1차)에서 선발된 초 · 중 · 고 각각 15명
- 발표자는 대회 안내에 따라 자기 스스로 탐구한 자유과학탐구 내용을 발표한다.
- 발표는 순서에 따라 대기 10분, 발표 10분, 질의응답 5분으로 진행한다.
- 발표는 자신의 탐구보고서를 중심으로 하며, 발표 시간을 준수하도록 한다.

평가기준

★ 보고서

항목	내용	배점(%)
창의성	독창적인 아이디어 제시 및 실행	40
과학적 사고	적절한 변인을 찾고 그 영향을 확인하는 실험 수행	30
자기 주도성	자신의 힘으로 과제를 수행하고 참고하거나 도움받은 내용을 분명하게 제시	20
명확성	신뢰할 만한 자료를 얻고 보고서를 가독성 있게 작성	10
총점		100

★ 발표대회

항목	내용	배점(%)
과학성	제시된 과제의 수행 과정의 과학적 타당성	20
창의성	과제에 대한 독창적인 아이디어 제시	30
에술성 및 실용성	목적에 맞게 간결하고 아름답게 제작	10
자기 주도성	자신의 힘으로 과제를 수행하고 참고하거나 도움받은 내용을 분명하게 제시	20
제한사항 준수	제시한 제한사항을 모두 준수	20
총점		100

★ 공개 검증

- 공개 검증 만료 후 이의 제기가 없는 경우 수상 후보작들은 최종 수상자로 확정된다. 결격 사유가 확인되는 경우 수상에서 제외한다.

홈페이지 http://www.kofses.or.kr/compet/creative_22.htm

단추 구멍 두 곳에 실을 꿰어 양손으로 적당한 너비로 잡고 몇 바퀴 돌린 후, 실을 잡아당겼다가 놓았다를 반복하면 단추가 윙윙 소리를 내며 빠르게 돈다. 단추가 빠르게 돌 때 나는 소리 때문에 붕붕이 또는 씽씽이라고 불리는 실팽이는 우리의 전통 놀이 중 하나다. 우리나라뿐만 아니라 캐나다, 미국 등 다른 나라에도 이와 비슷한 놀잇감이 있다. 아메리카 인디언들은 실팽이가 돌아가는 소리가 바람 소리와 닮았다고 생각하여 가뭄이 드는 시기에 실팽이를 돌리며 바람이 비구름을 몰고 오길 기원하였다고 한다.

종이와 실을 이용하여 윙윙 소리가 나며 빠르게 도는 실팽이를 만들고, 다음 탐구를 창의적으로 수행하시오.

1. 실팽이를 가지고 놀면서 실팽이가 돌아갈 때 관찰할 수 있는 특징을 찾아 정리하시오.

2. 실팽이를 돌릴 때 나는 소리의 높낮이에 영향을 끼치는 변인을 최대한 찾고, 그 변인이 소리의 높낮이에 미치는 영향을 검증할 수 있는 실험을 설계하고 수행하시오.

3. 탐구 2에서 얻은 결과를 바탕으로 가장 높은 소리가 나는 실팽이를 만드시오. 그리고 가장 높은 소리가 나는 실팽이를 만드는 방법과 그 방법이 가장 높은 소리를 내는 까닭을 설명하시오.

4. 실생활에서 실팽이가 빠르게 돌아가는 현상을 창의적으로 활용할 수 있는 예를 제시하시오. 그 방법을 직접 수행할 수 있다면 수행한 결과를 첨부하시오.

중학교

서기 2077년 우스라타 행성에 도착한 닐데스퍼랜덤호. 우스라타 행성으로 온 이유는 생명체가 존재한다는 사실을 알게 되었기 때문이다. 닐데스퍼랜덤호의 SY는 우스라타 행성에서 발견한 '파피루나'라는 생명체를 지구로 가져가기로 하였다. 파피루나는 마치 성인 손 두 개가 맞붙어 있는 것 같은 모양으로 손가락처럼 보이는 10개의 촉수가 좌우 대칭으로 꿈틀거린다. 촉수 끝은 빨판과 같은 구조로 다른 물체에 붙어 생존하며, 이동도 가능하다. 양쪽의 촉수가 모두 펼쳐졌을 때 총 길이가 최대 20 cm이며, 그 이상 자라지 않는다. 질량은 최대 20 g으로 확인되었다.

SY는 생육 환경이 무척 까다로운 '파피루나'를 살아있는 상태로 안전하게 지구로 가져가고자 한다. 제시된 조건과 제한 사항을 고려하여 파피루나를 위한 이동장(캐리어)을 만드시오. 또한 각 구조물들의 효과를 검증하는 실험을 체계적으로 설계하고 실행하여 구체적인 데이터와 사진을 보고서에 제시하시오.

〈조건〉

1. 파피루나가 잡거나 붙어 있을 수 있는 구조물이 필요하다.

2. 파피루나는 빛에너지를 이용하여 영양을 보충한다. 따라서 파피루나의 모든 면(앞, 뒤, 상, 하, 좌, 우)에 빛이 닿을 수 있도록 해야 한다. (단, 우주선 내에서 생존에 필요한 빛은 우주선 천장에서 비치고 있다.)

3. 여러 개의 파피루나를 옮길 때 서로 다른 몸체가 닿으면 녹아내리기 때문에 자기 공간을 확보해야 한다. 따라서 이동장(캐리어)에 파피루나를 최대한 넣을 수 있게 공간을 구분하시오.

4. 파피루나는 고무 냄새가 나는 것에는 접촉하지 않으려는 성질이 있다.

5. 우주선이 착륙 시 발생하는 소음의 세기(우주선 안에서는 약 70 dB로 측정된다) 이상의 소리에 노출되면 생명력을 잃는다.

6. 수분이 없으면 돌처럼 굳어져 부서지고, 물에 직접 닿으면 녹아버린다. 공기 중 수증기 형태로 수분을 공급받는다.

7. 우주선에 실어 지구로 운반해야 하므로 이동장(캐리어) 최대 질량은 1 kg(가정용 저울로 측정 가능), 크기는 (가로 40 cm × 세로 40 cm × 높이 40 cm)를 넘지 않도록 제작한다. (형태는 자유)

8. 귀한 샘플이므로 지구 중력과 같은 크기의 중력으로 80 cm 높이에서 이동장(캐리어)이 낙하하였을 때 구조물이 분리되거나 손상되지 않아야 한다.

   * 파피루나의 단단한 정도는 초콜릿을 겉에 바른 빼빼로 1개의 단단한 정도와 같다.

9. 이동장(캐리어)을 열지 않고도 내부의 파피루나 상태를 육안으로 관찰할 수 있어야 한다.

04 영재교육대상자 선발

영재교육원 종류 및 시기

기관	선발 방법	선발 시기
교육지원청 영재교육원	창의적 문제해결력 및 면접 평가	11월~12월
단위학교 영재교육원	창의적 문제해결력 및 면접 평가	11월~12월
직속기관 영재교육원	창의적 문제해결력 및 면접 평가	11월~12월
영재학급	창의적 문제해결력 및 면접 평가	2월~3월
대학부설 영재교육원	창의적 문제해결력 및 면접 평가	8월~11월

※ 지역별로 선발 과정이 다를 수 있으니 반드시 해당 영재교육원 모집 공고를 확인하세요.

일정 및 방법

★ 교육지원청 영재교육원 및 직속기관, 단위학교 영재교육원

단계	주관	일정	세부 내용
지원 단계	학생	11월	• GED에서 지원서, 자기체크리스트 작성 • 지원서를 출력하여 소속 학교 담임교사에게 제출
추천 단계	소속 학교	11월	• 담임교사 학생 지원 자료 확인 및 창의적인성검사 제출 • 학교추천위원회 학교별 지원자 명단 확인 후 최종 추천
창의적 문제해결력 및 면접 평가 단계	교육지원청	12월	• 창의적 문제해결력 및 면접 평가 실시
최종 합격자 발표	교육지원청	12월	• 아래 합산 성적순 - 교사 체크리스트 : 20점 - 창의적 문제해결력 평가 : 70점 - 면접 : 10점

유의 사항

★ 동일 교육청 소속 영재교육원 중복 지원 불가

★ 동일 학년도 내에서 영재교육기관 합격자는 타 영재교육기관에 지원 불가

★ 중복 지원이 허용되는 경우 중복 합격이 가능하지만 중복 등록은 불가

창의적 문제해결력

1. 맷돌을 이루는 암석이 (1), (2)와 같은 특징을 가지게 된 원인을 암석의 생성 과정과 관련지어 설명하시오.

> 유준이는 지난주에 가족과 함께 제주도에서 휴가를 보냈다. 그리고 여행 중에 들린 제주민속박물관에서 맷돌을 보았다. 맷돌을 자세히 살펴보니 두 가지 특징을 찾을 수 있었다.
> (1) 알갱이의 크기가 매우 작다.
> (2) 표면에 크고 작은 구멍이 많이 뚫려 있다.

[모범답안]
(1) 마그마가 지표로 흘러나와 빠르게 굳으면서 생성되어 알갱이 크기가 작다.
(2) 마그마가 지표로 흘러나와 빠르게 굳을 때 마그마에 있던 기체가 빠져나가지 못하면 기체가 갇혀 있던 곳에 크고 작은 구멍이 생긴다.
[해설] 현무암은 검은색이나 회색이며 알갱이의 크기가 매우 작고 표면은 거칠거칠하며, 표면에는 크고 작은 구멍이 있다. 현무암은 마그마가 지표로 흘러나와 빠르게 굳어져 만들어진다. 마그마에 있던 기체가 빠져나가지 못하면 기체가 갇혀 있던 곳에 크고 작은 구멍이 생긴다.

2. 민서는 학교 앞 개울가에서 다음과 같은 수생동물을 채집했다. 이 동물들을 채집할 때 필요한 물건을 5가지 쓰고 각각의 용도를 서술하시오.

> 물잠자리, 플라나리아, 가재, 거머리

[예시답안]
① 뜰채 : 물에 사는 생물을 채집할 때 사용한다.
② 붓 : 플라나리아와 같은 몸이 연한 작은 생물을 채집할 때 사용한다.
③ 핀셋 : 작은 생물을 채집할 때 사용한다. 몸이 연한 생물을 채집할 때는 사용하면 안 된다.
④ 집기병 : 생물을 종류별로 담을 때 사용한다.
⑤ 돋보기 : 채집한 생물을 확대해서 볼 때 사용한다.
⑥ 필기도구 : 관찰한 내용이나 채집할 때의 모습과 결과를 기록할 때 사용한다.
⑦ 카메라 : 관찰 모습이나 관찰 내용을 기록할 때 사용한다.

3. 다음과 같이 우리 주변에서 같은 물체이지만 다른 물질로 만든 예를 3가지 서술하시오.

[예시답안]
① 우산 : 종이, 비닐, 천 등
② 컵 : 유리, 금속, 플라스틱, 종이 등
③ 그릇 : 유리, 금속, 플라스틱 등
④ 가방 : 비닐, 가죽, 천, 종이 등
⑤ 옷 : 면, 나일론, 폴리에스테르, 가죽 등
⑥ 의자 : 나무, 금속, 플라스틱 등
⑦ 모자 : 천, 플라스틱, 가죽 등

[해설] 의자, 그릇, 모자, 가방 등은 다양한 물질로 만들어 쓰임새에 따라 사용한다. 물질의 종류에 따라 좋은 점이 다르므로 쓰임새에 맞게 사용하기 위해서 다양한 물질로 만든다.

4. 다음은 바이오디젤에 관한 설명이다. 바이오디젤 사용이 인간 생활에 미칠 수 있는 영향을 5가지 서술하시오.

바이오디젤이란 콩기름, 유채기름, 폐식물기름, 해조유(海藻油) 식물성 기름을 원료로 해서 만든 무공해 연료를 통틀어 일컫는 말이다.

[예시답안]
① 지속적으로 생산할 수 있는 식물로 만들므로 에너지 자원의 고갈 문제가 없다.
② 연료에 황 성분이 거의 포함되어 있지 않아서 산성비의 주범인 황 산화물을 거의 배출하지 않는다.
③ 바이오디젤은 수중에 유출될 때 경유보다 4배 정도 빠르게 분해된다.
④ 폐식용유 등 폐자원의 활용으로 환경 오염 감소 효과가 있다.
⑤ 지구 온난화의 주범인 이산화 탄소 배출량이 경유에 비해 적다.
⑥ 바이오디젤을 생산하기 위해서는 많은 양의 식물자원이 필요하다.
⑦ 식물을 재배하기 위한 토지 확보와 기후 변화에 따라 생산량의 변동이 있어 가격의 안정성 확보가 어렵다.
⑧ 엔진을 부식시키는 특징이 있어 엔진 고장을 유발한다.
⑨ 오래 저장하는 경우 변질되기 쉽다.
⑩ 식량자원을 이용한 연료라는 점에서 환경파괴와 전 세계 식량 공급 부족을 초래할 수 있다.

5. 다음은 혼합물 분리 실험을 위한 준비물이다. 여러 가지 준비물을 살펴보고, 주어진 혼합물을 분리하는데 필요한 준비물을 골라 실험을 설계하고 실험 결과를 서술하시오.

> • 혼합물 : 아몬드, 쥐눈이콩, 조, 스티로폼 구, 쇠구슬
> • 준비물 : 자석, 종이컵, 송곳, 수조, 물, 테이프, 자, 윗접시저울, 식용유

[모범답안]
〈필요한 준비물〉 자석, 종이컵, 송곳, 수조, 물
〈실험 방법〉
① 자석을 이용하여 혼합물에서 쇠구슬을 분리한다.
② 종이컵에 송곳으로 조보다 크고 쥐눈이콩보다 작은 구멍을 뚫어 남은 혼합물에서 조를 분리한다.
③ 종이컵에 송곳으로 쥐눈이콩보다 크고 아몬드보다 작은 구멍을 뚫어 남은 혼합물에서 쥐눈이콩을 분리한다.
④ 수조에 물을 담아 남은 혼합물에서 스티로폼 구와 아몬드를 분리한다.
〈실험 결과〉
① 혼합물에서 자석에 붙는 쇠구슬만 분리된다.
② 알갱이 크기 차이를 이용하여 조보다 크고 쥐눈이콩보다 작은 구멍으로 조만 분리된다.
③ 알갱이 크기 차이를 이용하여 쥐눈이콩보다 크고 아몬드보다 작은 구멍으로 쥐눈이콩이 분리된다.
④ 물에 뜨는 성질을 이용하여 물에 뜨는 스티로폼 구와 물에 가라앉는 아몬드가 분리된다.

6. 만약 추운 북극 지방에서 코끼리가 살아왔다면 어떤 모습일지 이유와 함께 5가지 설명하시오.

[예시답안]
① 추위를 견디기 위해 여러 겹의 털이 자랐을 것이다.
② 추위를 견디기 위해 몸에 두꺼운 지방층이 생겼을 것이다.
③ 열이 빠져나가지 않도록 표면적을 줄이기 위해 귀의 크기가 작고, 꼬리도 짧았을 것이다.
④ 열이 빠져나가는 것을 막기 위해 몸이 둥글둥글해졌을 것이다.
⑤ 펭귄처럼 원더네트(열교환 구조)나 혈액이 많이 흐르는 구조의 발을 갖고 있어 얼지 않았을 것이다.
⑥ 보호색으로 몸에 난 털이 하얀색이었을 것이다.
⑦ 먹이를 먹으면 낙타처럼 지방 덩어리를 모아서 어깨나 등에 혹으로 모아놨을 것이다.
⑧ 추위를 이기기 위해 무리를 지어 생활했을 것이다.
[해설] 추운 북극 지방에서 코끼리가 살았다면 매머드와 비슷하게 모습이 변해 추위를 이겨냈을 것이다. 몸의 표면적을 줄여 체온을 유지하고, 발은 얼지 않는 구조로 환경에 적응했을 것이다.

1. 다른 친구들과 어울리지 못하는 아이가 있을 때 나라면 어떻게 할 것인지 말해보시오.

[해설] 인성 면접 문제이다. 영재원에서는 대부분 팀으로 탐구하므로 갈등 해소 능력, 겉도는 친구를 포용하는 마음, 다른 사람의 감정을 공감하는 능력 등을 확인하는 질문이 많이 나온다. 미리 적절한 답안을 생각해보는 것이 좋다.

2. 아프리카에는 가난한 사람들이 많이 있다. 내가 그 사람들을 위해 어떤 일을 할 수 있는지 방법을 3가지 말해보시오.

[예시답안]
①여러 구호단체의 모금 활동, 기부, 후원을 통해 돕는다.
②아프리카 어린이를 위해 편지를 쓴다.
③아프리카의 상황을 주변 사람들에게 알린다.
[해설] 어른이 되어서 돈을 벌어서 도와주겠다는 생각보다 지금 내가 할 수 있는 작은 도움을 생각해보는 것이 좋다.

3. 달나라를 여행하는 우주선에 탑승하는 우주복에 있어야 할 기능을 5가지 말해보시오.

[예시답안]
①온도를 일정하게 유지해 주는 장치
②산소를 공급하는 장치
③기압을 일정하게 유지해 주는 장치
④헬멧을 썼을 때 외부와 통신이 가능한 장치
⑤식수를 공급할 수 있는 장치
⑥움직일 때 힘들지 않도록 관절 부분에 주름이 많은 우주복
⑦쉽게 찢어지지 않는 소재로 만든 우주복
[해설] 달은 지구와 달리 대기압이 작용하지 않고 산소가 없으며 태양열에 의한 극고온과 극저온의 환경이 반복되는 공간이다. 또한, 빠른 속도로 날아다니는 우주먼지와 각종 전자파 및 방사능 등이 우주비행사들을 위협하고 있다. 따라서 달에서 입는 우주복에는 우리 몸을 보호 할 수 있는 최첨단 장치가 있어야 한다.

4. 비행기는 새를 본 떠 만들었다. 이처럼 동, 식물을 본 떠 만든 것을 말하고, 장점 2가지를 말해보시오.

[예시답안]

• 연잎 : 물방울이 맺히지 않고 동그랗게 뭉친다. 벽, 자동차, 운동화, 기능성 의류 표면에 연잎처럼 물이 맺히지 않고 흘러내리도록 하면 젖지 않고 항상 깨끗한 상태를 유지할 수 있다.

• 도깨비바늘 : 씨 끝부분에 가시같이 짧고 날카로운 바늘이 사방을 향해 벌어져 있어 옷이나 털에 박혀 잘 빠지지 않는다. 도깨비바늘 씨앗을 본 떠 낚싯바늘이나 작살을 만든다.

5. 모둠원들이 민수의 행동을 선생님께 말씀드려야 할지에 대해 자신의 입장을 정하여 말해보시오.

> 민수네 학급은 오늘 미술 시간에 협동화 그리기를 했습니다. 그러나 민수는 자기가 맡은 그림에 색칠도 안 하고 놀기만 했습니다. 끝날 시간이 되자 모둠 아이들은 마음이 급한 나머지 민수의 그림까지 함께 색칠해서 냈습니다. 선생님은 민수네 모둠의 협동화가 가장 멋있다고 칭찬을 해 주시며 모둠원 전체에게 스티커를 한 장씩 주셨습니다. 모둠원들은 민수가 협동화 그리기는 하지 않고 장난만 치고 스티커를 받았다는 사실을 선생님께 말씀드려야 할지 고민했습니다.

[해설] 모둠 활동에서 자주 발생할 수 있는 상황이다. 모둠 활동에서 주로 1명이 주도적으로 하고 1~2명이 참여를 하지 않는 경우가 발생하기도 한다. 협동화나 조별 과제 등을 해결할 때 참여하지 않는 친구가 생기면 대부분 한 두 번 이야기하고 그래도 참여하지 않으면 선생님께 말씀드린다. 그러나 이번 상황은 민수에게 색칠하라고 이야기하는 사람도 없었고, 선생님께 말씀드리지도 않은 상황에서 민수를 빼고 협동화를 마무리했다. 모둠원들이 민수의 행동을 선생님께 말씀드린다면 모둠원들이 민수와 협동하려고 노력하지 않는 부분에서 모둠원들에게 준 스티커를 모두 회수할 수 있다. 또한, 선생님께 민수의 행동을 말씀드린다고 해서 민수가 다음부터 협동할 확률은 그리 높지 않을 것이다. 가장 중요한 핵심은 민수가 왜 협동하지 않았는지에 대한 모둠원들의 고민 없이 민수를 무시한 부분이다. 따라서 선생님께 말씀드리는 부분보다는 민수와 협동하기 위해 어떻게 해야 하는 것이 좋을지에 대한 해결 방안을 이야기하는 것이 좋다.

안쌤이 추천하는
영재교육원 대비 3,4학년 로드맵

STEP

개념+창의력

안쌤의 최상위 줄기과학 초등 시리즈 | 학기별 8강, 총 32강

STEP

문제해결력

안쌤의 창의적 문제해결력 시리즈 | 수학 8강, 과학 8강

STEP
실전테스트

안쌤의 창의적 문제해결력 실전 시리즈 | 수학 50제, 과학 50제, 모의고사 4회

영재교육원 영재학급 관찰추천제 대비

안쌤의
「창의적 문제 해결력」 수학 과학 공통

모의고사

1 모의고사[4회]

● 최근 시행된 전국 관찰추천제 기출 완벽 분석 및 반영

● 서울권 창의적 문제해결력 평가 대비

● 영재성검사, 학문적성검사, 창의적 문제해결력 검사 대비

2 평가 가이드 및 부록

● 영역별 점수에 따른 학습 방향 제시와 차별화된 평가 가이드 수록

● 창의적 문제해결력 평가와 면접 기출유형 및 예시답안이 포함된 관찰추천제 사용설명서 수록

안쌤의 줄기과학 시리즈

새 교육과정
3~4학년
학기별
STEAM 과학

3-1 **8강** 3-2 **8강**   4-1 **8강** 4-2 **8강**

새 교육과정
5~6학년
학기별
STEAM 과학

5-1 **8강** 5-2 **8강**   6-1 **8강** 6-2 **8강**

새 교육과정
중등 영역별
STEAM 과학

물리학 24강 **화학 16강** **생명과학 16강** **지구과학 16강**   **물리학 워크북**   **화학 워크북**

안쌤의 영재교육원 영재학급 관찰추천제 대비

창의적 문제해결력 과학
정답 및 해설

Steam

3·4
학년

M 매스티안

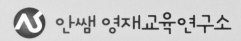
안쌤 영재교육연구소

상위 1%가 되는 길로 안내하는 이정표로,
학생들이 꿈을 이루어갈 수 있도록 콘텐츠 개발과 강의 연구를 하고 있다.

저자 **안쌤 영재교육연구소**

최은화, 유나영, 이상호, 박민수, 추진희, 허재이, 오아린, 이나연, 김혜진, 신혜진, 김샛별, 최혜성

이 교재에 도움을 주신 선생님

고려욱, 김성희, 김정아, 김종욱, 마성재, 박진국, 백광열, 서윤정, 신석화, 어유선, 유영란, 이석영,
이은덕, 장수진, 전익찬, 전진홍, 정영숙, 정회은

안쌤의 창의적 문제해결력 **과학**

정답 및 해설

STEP 1 문제 인식

모범답안

1 버스, 지하철, 택시, 오토바이, 자전거, 기차, 고속열차, 자기부상열차, 호버크래프트, 열기구, 여객기, 전투기, 뗏목, 돛단배, 유람선, 잠수함, 우주왕복선, 로켓, 에스컬레이터, 엘리베이터, 무빙워크, 말, 수레, 마차, 인력거 등

모범답안

2 • 물 위, 땅 위, 얼음 위, 늪 위, 진흙 위 등 여러 곳을 빠른 속도로 다닌다.
  • 땅에서 바다로 바다에서 땅으로 자유롭게 이동이 가능하다.
  • 바닥에서 살짝 떠올라서 다닌다.

해설 호버크래프트는 땅이나 물 위를 한 뼘 정도의 높이로 떠서 날아가는 비행물체다. 정식 명칭은 '에어쿠션정'이지만 프로펠러 추진력으로 인해 물 위를 날아다니기 때문에 일명 '물 위를 뜨는 비행기'라고도 불린다. 호버크래프트는 호수, 강, 바다 등 물이 있는 곳은 기본이고, 그 밖에 늪지대, 젖은 모래 위, 진흙, 얼음 위, 아스팔트 등의 땅 위 25° 경사진 곳에서도 이동할 수 있다. 호버크래프트는 1950년대 초에 영국에서 연구 개발되었다. 그 뒤 미국의 스카트사에 의해 본격적으로 연구ㆍ개발되었으며 그동안 발전과 변형을 거듭해 왔다. 처음에는 해안 경비대, 군사용, 화재구조, 자연 보호 감시 활동, 수상 인명구조, 수송용으로 사용되었다. 호버크래프트가 널리 보급된 미국이나 유럽에서는 지금도 화재구조, 늪지대나 선박접안 곤란지역의 수송 등에 폭넓게 활용되고 있다. 1980년대 중반 이후에는 스피드와 스릴, 모험을 즐기는 사람들에 의해 호버크래프트는 대중 스포츠로 변모하게 되었으며, 그 뒤 높은 인기를 끌면서 빠른 속도로 보급되어 모터보트, 제트스키 등과 함께 스피드와 스릴을 만끽하는 대중 레포츠로 자리하고 있다. 우리나라에선 88서울 올림픽 때 첫 선을 보인 이래, 순수 레저용으로 수입되었으나 가격이 비싸 대중화되지는 못했다. 아직까지 본격적인 보급은 이루어지지 않았지만, 건국대 윤광준 교수팀의 호버크래프트 국산화 성공에 따라 앞으로 국산품의 생산 보급이 이루어질 전망이다. 우리나라에서도 호버크래프트가 레저 활동으로 활성화될 날이 머지 않았다.

STEP 2 문제 해결

1
- **띄우는 방법** : 선체의 상부에 마련된 팬으로 공기를 빨아들여 압축시킨 후 아래에 있는 팬으로 공기를 불어내면 에어 커튼이 생긴다. 에어 커튼과 선체 및 수면(또는 지면)에 가두어진 공기는 밖으로 나가지 못하므로 압력이 높아져 에어 쿠션을 만든다. 에어 쿠션의 압력이 선체의 무게보다 커지면 선체를 띄운다. 빨아들여진 공기를 그냥 분사하면 공기가 바로 흩어지기 때문에 무거운 호버크래프트를 똑바로 들어 올리지 못한다. 그래서 호버크래프트 옆에 있는 공기주머니(스커트)에 압축 공기를 가두어 호버크래프트 밑바닥 전체에 일정한 양력이 생길 수 있도록 한다. 보통 지상에서는 15~25 cm 정도 뜬다.
- **앞으로 나아가는 방법** : 호버크래프트 뒤에 있는 큰 프로펠러를 돌려 공기를 뒤로 보내어 호버크래프트를 앞으로 나아가게 하는 추진력을 얻는다.
- **방향 전환하는 방법** : 프로펠러 뒤에 좌우측으로 움직이는 키를 이용해 방향을 전환한다. 호버크래프트는 자동차와 같이 방향을 바꿀 수 있는 바퀴가 없으므로 배와 같이 프로펠러 뒷면의 키를 이용한다.

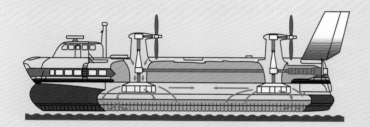 

해설 땅에서 뜨는 원리와 앞으로 나아가는 원리를 모두 생각한다. 공기의 움직임을 화살표로 그려가며 정리한다.

2
- 바닥면과의 마찰력을 최대한 작게 한다.
- 아래로 분사되는 공기의 힘을 크게 한다. 아래로 분사되는 공기의 힘이 클수록 호버크래프트가 잘 떠서 잘 나아간다.
- 공기를 뒤로 보내는 힘을 크게 한다. 공기를 뒤로 보내는 힘이 클수록 호버크래프트가 앞으로 잘 나아간다.
- 무게를 가볍게 한다. 가벼울수록 잘 뜨고 잘 나아간다.

모범답안

3
- 풍선의 크기가 클수록 호버크래프트가 멀리 나아갈 것이다.
- 바닥이 매끄러울수록 멀리 나아갈 것이다.
- 공기가 나가는 구멍이 클수록 빠르게 나아갈 것이다.

모범답안

4
1. **가설 1** : 풍선의 크기가 클수록 호버크래프트가 멀리 나아갈 것이다
- 같게 할 것 : CD 크기, 바닥면 종류, CD 호버크래프트를 미는 힘, 공기가 나가는 구멍
- 다르게 할 것 : 풍선 크기
  ① CD 호버크래프트를 만든다.
  ② 풍선의 크기를 다르게 하여 CD 호버크래프트가 움직이는 빠르기와 거리를 측정한다.

2. **가설 2** : 바닥이 매끄러울수록 멀리 나아갈 것이다.
- 같게 할 것 : CD 크기, 풍선 크기, CD 호버크래프트를 미는 힘, 공기가 나가는 구멍
- 다르게 할 것 : 바닥면 종류
  ① CD 호버크래프트를 만든다.
  ② 다양한 바닥 위에서 CD 호버크래프트가 움직이는 빠르기와 거리를 측정한다.

3. **가설 3** : 공기가 나가는 구멍이 클수록 빠르게 나아갈 것이다.
- 같게 할 것 : CD 크기, 풍선 크기, CD 호버크래프트를 미는 힘, 바닥면 종류
- 다르게 할 것 : 공기가 나가는 구멍의 크기
  ① CD 호버크래프트를 만든다.
  ② 여러 개의 페트병 뚜껑에 구멍의 크기를 다양하게 뚫고, 호버크래프트가 움직이는 빠르기
    와 거리를 측정한다.

해설 CD 호버크래프트 만드는 방법

① 페트병 뚜껑에 구멍을 뚫는다.

② 구멍 뚫린 곳이 아래로 가도록 양면테이프를 이용하여 페트병 뚜껑을 CD 위에 붙인다.

③ 글루건을 이용하여 CD에 빨대 3개를 붙인다.(풍선을 불어 고정할 때 빨대가 없으면 풍선이

　한쪽으로 기울어져 움직임이 둔해진다.)

④ 풍선을 페트병 뚜껑에 끼운다.

⑤ 풍선에 바람을 넣고, 풍선을 꼬아서 바람이 빠져나가지 않도록 한다.

⑥ CD 호버크래프트를 바닥에 놓고 꼬인 풍선을 푼 다음, CD 호버크래프트를 살짝 밀어준다.

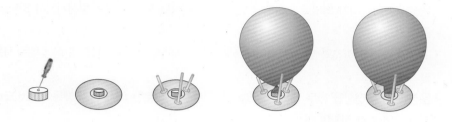

STEP 3 융합 사고

1 자기부상열차는 차량에 탑재된 자석과 레일 사이에 발생하는 힘에 의해 차량이 레일 위에 1~10 cm 정도로 떠서 고속으로 달린다.

해설 자기부상열차는 차량의 부상방식에 따라 크게 자석의 흡인력을 이용한 상전도식과 자석의 반발력을 이용한 초전도식으로 나뉜다.

상전도 방식은 레일의 아래와 열차의 옆에 전자석을 설치해 열차를 약 0.8~1.5 cm 정도 띄우고, 앞으로 끌어당겨 추진하는 방식이다. 이 방식은 열차가 떠오르는 높이가 1 cm쯤으로 낮아 안정성이 떨어지지만, 저속에서도 열차를 띄울 수 있어 도시철도에 유리하다. 상전도 방식 자기부상열차는 이미 도심내 단거리 구간을 달리는 중 · 저속형이 일부 선진국에서 상업화 단계에 들어갔다.

초전도 방식은 초전도체로 만든 코일에 전류를 흘려 자석으로 만든 다음 강한 자기력을 발생시킨다. 초전도체 자석을 이용해 만든 것이 리니어모터. 리니어모터의 고정자석과 회전자석 사이에 생기는 반발력으로 열차가 10 cm쯤 떠오르고, 전류가 흐르는 가이드웨이의 양쪽 벽에 설치한 코일에 자기장이 발생하면 열차가 움직인다. 부상 높이가 10 cm 가량 되기 때문에 시스템의 안전성과 신뢰성이 높지만 저속에서는 부상할 수 없어 보조적 지지기구가 필요하다.

2
- 장거리 운행이 불가능하다.
- 제작비용이 비싸다.
- 엔진과 프로펠러가 외부로 노출되어 있고, 운행 중 프로펠러를 계속 회전시켜야 하므로 소음이 크다.
- 고압의 공기를 아래와 옆으로 뿜어내므로 주위에 엄청난 먼지가 날려 도심에서는 사용이 불가능하다.
- 운전과 방향 전환을 한두 개의 프로펠러와 뒷부분의 키로만 해야 하기 때문에 호버크래프트가 크면 방향 전환이 쉽지 않다.
- 파도가 1m 이상이면 사용이 불가능하다.

해설 CD 호대형 호버크래프트의 경우 컴퓨터를 통해 차체의 제어와 공기압 조절, 방향 전환을 한다.

3
- 적은 인원수만 탈 수 있는 모터보트와 같은 호버크래프트
- 일정 속도 이상이 되면 하늘을 날 수 있는 호버크래프트 등

STEP 1 문제 인식

★ 모범답안 ★

1
- 물. 물은 우리 몸안의 필요한 물질을 운반하며 체온을 조절하는 역할을 한다. 사람이 물을 마시지 않고서는 3일 정도 밖에 살지 못하기 때문이다.
- 음식. 사람이 활동하기 위해서는 에너지가 필요한데 음식이 에너지를 만들기 때문이다.
- 불. 추위와 어둠의 공포로부터 우리를 지켜주며, 식수와 음식을 얻기 위해 필요하기 때문이다. 또한 무인도에 있을 수 있는 해충과 위험한 동물들의 공격을 피하기 위해서는 불이 필요하다.

해설 수분 섭취는 우리가 살아가는 데 있어서 중요하다. 수분 섭취가 부족할 경우 혈액이 끈끈해져 혈액합병증, 말초순환 장애 등을 초래할 수 있다. 신체 내 물은 많이 마시건 적게 마시건 60~80분 후면 자연스럽게 소변이나 땀 등으로 배출된다. 하루동안 신체 내에서 빠져나가는 물의 양은 약 1,200 mL로 최소한 소변으로 배출되는 양이 550 mL, 대변으로 배출되는 양이 150 mL, 호흡을 통해 나가는 물이 300 mL, 땀으로 배출되는 양이 200 mL 정도 된다. 보통 일반인이 하루에 마시는 물은 음식물에 든 수분이 약 650 mL이며 체내에서 대사과정을 통해 200 mL가 만들어진다. 섭취한 물과 배출한 물을 계산해보면 별도로 섭취해야 하는 물의 양은 하루에 약 350 mL이다. 보통 사람은 하루 평균 1~1.5 L 정도의 물을 마시는 것이 적당하다. 물 하루 섭취량에는 음식물로 섭취하는 수분도 포함되어 있다.

★ 모범답안 ★

2 바닷물을 마시면 우리 몸의 농도가 높아지게 되고, 우리 몸은 농도를 일정하게 맞추기 위해 소금을 내보내려고 한다. 소금은 오줌의 형태로 물에 녹은 상태로 몸 밖으로 배출되기 때문에 많은 소금을 내보내기 위해 우리 몸은 더 많은 양의 물을 소변으로 내보내게 된다. 그 결과 바닷물을 마시기 전보다 더 심한 갈증을 느끼며 탈수 증상이 나타나 목숨을 잃을 수 있다.

해설 바닷물을 마시면 혈액의 무기 염류 농도가 높아지게 된다. 우리 몸은 농도를 일정하게 유지하기 위해 콩팥에서 수분의 재흡수량을 늘리고 무기 염류의 양을 줄인다. 그러나 바닷물에는 무기 염류의 양이 너무 많기 때문에, 콩팥은 체액의 농도를 일정하게 유지하기 위해서 더 많은 양의 물을 오줌으로 배출하여 무기 염류를 몸 밖으로 내보낸다. 그 결과 세포에서 많은 물이 빠져나와 탈수가 나타난다. 체액의 농도는 0.9%인데 비해 바닷물의 농도는 3%이다. 콩팥이 만드는 오줌의 농도는 2% 이므로 3% 바닷물을 배출하기 위해서 더 많은 양의 물이 필요하다. 따라서 바닷물을 마시면 오히려 몸 안의 수분이 줄어든다.

STEP 2 문제 해결

★ 모범답안 ★

1   막걸리가 들어 있는 소줏고리 아래를 가열하면 알코올이 끓어 기체가 되어 위쪽으로 올라오고, 찬물이 담긴 그릇에 닿아 액체 알코올(소주)로 변한 후 고리로 흘러 나와 병에 모인다.

해설   불순물이 섞인 용액을 가열할 때 나오는 액체를 다시 냉각시켜 순수한 액체를 얻는 방법을 증류라고 한다.

찬물
액체 알코올
기체 알코올
액체 알코올
=소주

★ 모범답안 ★

2   새벽에 온도가 낮아지면 공기 중 수증기와 식물이 방출한 수증기가 차가운 풀과 나뭇잎에 닿아 응결되면서 액체 상태인 이슬이 만들어진다.

해설   새벽에 온도가 낮아지면 공기의 습도가 점점 높아지고, 포화 상태(이슬점)가 되면 이슬이 생기기 시작한다. 이슬은 낮과 밤의 온도 차이가 클수록, 공기 중에 수증기가 많을수록, 바람이 불지 않을수록, 맑을수록 잘 만들어진다.

3 **[실험 방법]**

- 방법 1 : 바닷물 증류하기

  ① 큰 그릇에 바닷물을 넣고 중앙에 빈 그릇을 놓는다.

  ② 큰 그릇을 나뭇잎이나 비닐로 덮고, 중앙 부분에 돌을 올려 아래로 살짝 오목하게 만든다.

  ③ 바닷물이 든 큰 그릇을 가열한다.

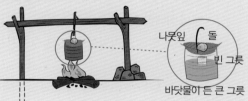

나뭇잎　돌
빈 그릇
바닷물이 든 큰 그릇

- 방법 2 : 바닷물 증발하기

  ① 큰 그릇에 바닷물을 넣고 중앙에 빈 그릇을 놓는다.

  ② 큰 그릇을 나뭇잎이나 비닐로 덮고, 중앙 부분에 돌을 올려 아래로 살짝 오목하게 만든다.

  ③ 햇빛이 강한 곳에 그릇을 둔다.

나뭇잎
돌
빈 그릇
바닷물이 든 큰 그릇

- 방법 3 : 식물을 이용하여 이슬 모으기

  ① 잎의 크기가 큰 나뭇잎 끝이 이슬을 모으는 그릇을 향하도록 한다.

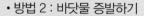

그릇

- 방법 4 : 땅속에 있는 수분 모으기

  ① 땅을 파서 구덩이를 만들고 중간에 물을 모으는 그릇을 놓는다.

  ② 구덩이 위를 큰 나뭇잎이나 비닐로 덮고, 중앙 부분에 돌을 올려 아래로 살짝 오목하게 만든다.

나뭇잎　돌
그릇

- 방법 5 : 간이정수기로 흙탕물 거르기

  ① 대나무처럼 속이 빈 관을 칼로 잘라내고 아랫부분에 구멍을 뚫는다.

  ② 굵은 자갈-작은 자갈-모래-숯가루 또는 잘게 부순 숯-모래-숯가루 또는 잘게 부순 숯-모래-작은 자갈-굵은 자갈 순으로 채워 넣는다.

  ③ 흙탕물을 간이정수기에 부어 물을 거른다.

굵은 자갈
작은 자갈
모래
숯
모래
숯
모래
작은 자갈
굵은 자갈

- 방법 6 : 그릇에 빗물을 모은다.

- 방법 7 : 다리에 수건을 묶고 새벽에 숲속을 지나다니면 이슬이 수건에 묻는다. 수건의 물을 짜서 마신다.

[예상되는 결과]

- 방법 1 : 바닷물을 끓이면 바닷물에서 물만 끓어 수증기로 나오고, 수증기가 냉각되어 나뭇 잎이나 비닐 봉지에 맺혀 중앙에 있는 그릇에 모인다.
- 방법 2 : 낮의 뜨거운 태양빛과 열로 바닷물을 증발시켜 수증기를 만들고, 수증기를 식히면 액체 상태인 물이 된다.
- 방법 3 : 밤에 차가워진 공기 중 수증기가 냉각되어 나뭇잎에 맺혀 중앙에 있는 그릇에 모 인다.
- 방법 4 : 낮동안 흙으로부터 증발된 수증기가 밤에 냉각되어 나뭇잎이나 비닐 봉지에 맺혀 중앙에 있는 그릇에 모인다.
- 방법 5 : 간이정수기의 모래와 자갈에 의해 크기가 큰 이물질이 걸러지고, 숯에 의해 색깔과 냄새가 제거된다.

 STEP 3 융합 사고

 모범답안

1
- 기후변화로 인하여 비가 내리는 양이 줄어들어 물이 부족해진다.
- 여름에만 강수량이 집중되고, 집중호우나 홍수를 일으키는 물은 우리가 활용하기 어렵다.
- 인구밀도가 높은 반면 물 활용률이 낮다.
- 각종 개발로 육지의 빗물을 전부 바다로 흘려보내 육지의 담수능력이 떨어진다.

해설   우리나라는 연간 강수량은 세계 평균인 973 mm보다 많은 1,283 mm이지만, 산지가 많고 강우가 여름철에 집중되어 제대로 물 관리를 하지 못하여 물 이용율이 낮다. 우리나라는 연중 내리는 빗물 가운데 27 %만 이용하고 있다.

 모범답안

2
- 주변 국가로부터 물을 사서 사용한다.
- 바닷물을 증발시켜 담수를 얻는다.(증발법)
- 담수와 해수 사이를 막으로 막고 해수에 압력을 가하여 담수를 얻는다.(역삼투법)
- 바닷물을 얼려 담수를 얻는다.

해설 섬나라인 싱가포르는 물 부족 국가로 말레이시아에서 물을 수입해서 사용하고 있다. 우리나라도 중국, 프랑스, 이탈리아 등 여러 나라에서 생수 제조를 위해 물을 수입한다. 관세청에 따르면 2014년 5월 물수입량은 1만 6백여 톤, 375만 달러라고 한다. 전체 물 수입 물량 중 75% 이상이 프랑스이다. 해수담수화란 바닷물에서 염분과 유기물질 등을 제거해 식수나 생활용수 등으로 이용할 수 있도록 담수를 얻는 것을 말한다. 일반적으로 증발법, 역삼투법, 이온교환막법 등이 있다. 증발법은 역삼투압법에 비해 에너지 소비량이 3배나 더 많기 때문에 원유 가격이 안정적인 중동 지역을 제외하면 주로 역삼투압 방식을 사용한다. 역삼투압법으로 얻은 담수는 증류수에 가깝기 때문에 미네랄을 추가해 식수로 만든다. 두산중공업, 현대엔지니어링, 쌍용건설 등 우리나라 많은 회사들이 중동 지방의 해수담수화 플랜트 건설에 참여하고 있다.

★모범답안★

3 • 솔라볼로 얻은 물에 있을 수 있는 해로운 균을 과일즙이나 화학 물질을 이용해 간단히 제거한다.
• 햇빛에 의한 증발만으로는 해로운 균을 제거할 수 없으므로 물을 가열해야 해로운 균을 제거할 수 있다. 따라서 솔라볼을 열에 강한 물질(금속)로 만들어서 아랫부분을 가열하여 식수를 얻는다.

해설 태양빛으로 소독한 물에 '라임(lime)' 주스를 넣으면 태양빛으로만 소독한 물보다 대장균과 같은 해로운 균이 상당히 빠르게 제거된다. 그러나 이 방법도 모든 해로운 균을 제거하지는 못한다..

 문제 인식

모범답안

1
- 밝은 곳도 있고 어두운 곳도 있다.
- 수많은 운석구덩이로 덮여 있다.
- 운석구덩이의 크기와 깊이가 모두 다르다.
- 운석구덩이 위에 다시 운석구덩이가 생성된 곳도 있다.

해설
- 달정찰탐사선(LRO)에 정착된 최신 계측기기 덕분에 새로운 달의 모습을 볼 수 있게 되었다.
- 오리엔탈 분지(oriental basin)는 넓이가 2,500km 깊이가 수 km에 이른다.
- 새컬튼 운석구덩이(Shackleton crater)는 달의 남극에 위치하는데 최근 20억 년 동안 태양을 보지 못했으며, 그랜드캐년보다 2배나 깊은 운석구덩이이다.
- 에이티큰 분지(Aitken baisn-파란색 부분)는 가장 오래되고 가장 넓다. 크기가 너무나도 커서 그동안 관측이 힘들었다. (사진 중 파란색은 깊은 곳, 붉은 색은 높은 곳이다.)
- 티코 운석구덩이(Tycho crater)는 만들어진지 겨우 1억 년 밖에 되지 않았다. 중앙 봉우리에는 날카로운 바위산이 있다.
- 아리스타쿠스 운석구덩이(Aristarchus crater)는 최근에 만들어진 고원(높고 평평한 지역)이다.
- 고요의 바다(Sea of Tranquility)는 1972년 아폴로 11호 승무원이 착륙한 곳으로 인간이 달에 남긴 첫 발자국이다.

 **문제 해결**

모범답안

1
- 진화 과정 : A → C → D → B → E
- 진화 내용 : 45억 년 전 지구가 거대한 우주암석과 크게 충돌을 일으킨 후 현재의 달이 생성되었다. 이 충돌은 운석을 녹일 정도로 강력한 것으로 초창기 달은 뜨거운 액체 상태였다. 43억 년 전 달의 남극에 커다란 충돌이 있었고 지름 2,500km 넓이의 거대한 남극 분지(에이티큰 분지)가 형성되었다. 41억~38억 년 사이에 외계의 수많은 암석들이 달의 표면에 충돌하였으며, 38억~10억 년 전 사이에는 화산의 시기를 거쳤다. 10억 년 이후 달은 점차 식었고 운석구덩이가 만들어지며 오늘날의 달의 모습을 가지기 시작했다.

2
- 달의 화산이 분화한 자국이다.(화산설)
- 달이 만들어져 굳어질 때 우주 공간을 떠돌아다니던 운석이 대기가 없는 달 표면에 낙하하여 생긴 것이다.(운석 충돌설)

해설 생성 원인에 관해서는 지금까지 두 학설이 대립해왔으나 오늘날에는 운석, 화산, 내부가스의 분출 등 다양한 원인에 의해 생기는 것으로 판단된다. 운석 충돌설을 주장한 대표적인 사람은 대륙이동설을 주장한 독일의 베게너였다. 그는 달 표면의 운석구덩이는 운석이 달의 표면에 낙하해 그 충격으로 구덩이가 형성됐다고 했다. 그러나 20세기 후반에 이르기까지 운석 충돌설의 최대 약점은 달 표면의 운석구덩이가 모두 원형을 이루고 있다는 점이었다. 그러나 지금부터 약 30년 전 화약을 폭발시켜서 인공 운석구덩이를 만들어 그 모양이나 방출물을 조사한 실험과 대형 충돌총을 사용한 실내 실험 결과, 예상과는 달리 충돌 각도와 운석구덩이 모양의 관계는 충돌각이 극히 작은 약 5°이하의 경우를 제외한 모든 경우에 원형을 이루고 있음이 밝혀졌다. 물론 일부는 화산 작용의 결과로 생성된 분화구도 있으며, 화산 작용의 흔적도 발견된다.

3
- 운석의 속력이 빠를수록 운석구덩이의 크기가 커질 것이다.
- 운석의 크기가 클수록 운석구덩이의 크기가 커질 것이다.

4
1. **가설 1 : 운석의 속력이 빠를수록 운석구덩이의 크기가 커질 것이다**
- 같게 할 것 : 구슬의 크기, 상자 속 모래나 밀가루의 평평한 정도와 단단한 정도, 구슬의 재질
- 다르게 할 것 : 구슬을 떨어뜨리는 높이
  ① 상자에 모래나 밀가루를 채우고 상자를 3번 내리친 후 표면을 편평하게 만든다.
  ② 상자 위 10cm에서 구슬을 떨어뜨리고, 자나 막대를 이용하여 생성된 운석구덩이의 지름과 깊이를 측정한다.
  ③ 상자 위 15cm, 20cm, 25cm, 30cm에서 같은 구슬을 떨어뜨리고, 자나 막대를 이용하여 생성된 운석구덩이의 지름과 깊이를 측정한다.

충돌의 흔적, 운석구덩이

2. **가설 2 : 운석의 크기가 클수록 운석구덩이의 크기가 커질 것이다.**
- 같게 할 것 : 구슬을 떨어뜨리는 높이, 상자 속 모래나 밀가루의 평평한 정도와 단단한 정도, 구슬의 재질
- 다르게 할 것 : 구슬 크기
  ① 상자에 모래나 밀가루를 채우고 상자를 3번 내리친 후 표면을 편평하게 만든다.
  ② 상자 위 20cm에서 구슬을 떨어뜨리고, 자나 막대를 이용하여 생성된 운석구덩이의 지름과 깊이를 측정한다.
  ③ 크기가 다른 구슬을 같은 높이에서 떨어뜨리고, 자나 막대를 이용하여 생성된 운석구덩이의 지름과 깊이를 측정한다.

STEP 3 융합 사고

모범답안

1 　목성은 가스로 이루어져 있기 때문에 천체 충돌로 인해 대기에 운석구덩이 구멍이 생기지만 시간이 지나면 사라진다.

해설 　혜성이나 소행성이 목성에 접근하면 두꺼운 수소 대기와 마찰을 일으켜 공중에서 작게 조각나면서 산산이 흩어진다. 천체가 충돌하기보다는 열을 내면서 폭발한다고 볼 수 있다. 목성은 중력이 강하기 때문에 혜성이나 소행성이 충돌하는 속도가 매우 빠르다.

모범답안

2 　달의 공전 주기와 자전 주기가 약 한 달로 같기 때문이다.

해설 　지구에서 달의 한쪽 면만 보면 50%만 볼 수 있지만 실제로는 달의 59%까지 관측할 수 있다. 달의 뒷부분을 관찰하기 위해서는 직접 달 뒤쪽으로 가서 사진을 찍어야 한다.

3
- 달에 우주인이 살도록 한다.(물을 전기분해하면 공기를 얻을 수 있다.)
- 행성 간 여행에 필요한 탐사선 휴게소(연료 공급)로 사용한다. 등

해설 달에 물이 있는지 확인하기 위해서는 달의 흙을 직접 가지고 와서 연구를 하는 것이 가장 정확하다. 2009년에 달에 물이 있을 곳으로 추정되는 곳(카베우스 운석구덩이)에 로켓을 충돌시키고 충돌 후 발생하는 분출물을 수거하여 분석하였다. 과학자들은 태양빛이 닿지 않는 달의 남극에 있는 카베우스 운석구덩이가 −230 ℃의 온도를 유지하고 있어 고대 혜성이나 소행성 충돌로 발생한 수증기가 그대로 얼어붙어 있을 것으로 추정했다. 먼지 구름을 분석한 결과 5.6 %가 물 성분 얼음으로 밝혀졌다. 이는 사하라 사막보다 수분이 2배나 많은 것이다. 달 표면의 물은 비교적 깨끗한 얼음 알갱이 형태로 분출돼 장차 달 기지의 우주인들이 비교적 쉽게 이용할 수 있을 전망이다.

층층이 쌓인 액체탑

STEP 1 문제 인식

★ 모범답안 ★

1
- 실험 2 : 식용유가 물 위에 뜬다.
- 실험 3 : 식용유가 물 위에 뜬다.

해설 식용유와 물을 섞으면 양에 관계없이 밀도가 작은 식용유가 밀도가 큰 물 위에 뜬다.

★ 모범답안 ★

2 식용유가 물보다 밀도가 작기 때문이다.

해설 식용유와 물의 부피가 같을 때 물이 식용유보다 더 무거워서(밀도가 커서) 식용유 아래로 가라앉는다.

STEP 2 문제 해결

★ 모범답안 ★

1 아주 작은 감자라도 물보다 밀도가 커서 가라앉고 아주 큰 사과라도 물보다 밀도가 작아서 뜬다.

해설 밀도는 물질의 고유한 성질로 크기나 양에 따라 값이 변하지 않는다.

★ 모범답안 ★

2
- 물에 띄워본다. 물에 뜨면 물보다 밀도가 작고, 물에 가라앉으면 밀도가 물보다 크다.
- 질량과 부피를 비교해본다. 단위부피당 질량이 클수록 밀도가 크다.

해설 나무의 밀도는 $0.74 \, \mathrm{g/cm^3}$, 금의 밀도는 $19.3 \, \mathrm{g/cm^3}$(약 $20 \, \mathrm{g/cm^3}$)이다.

모범답안

3 • **방법 1**

① 액체의 부피를 일정하게 정한다. 예) 50 mL

② 각 액체를 정한 부피만큼 측정한 후 무게를 측정한다.

③ (질량÷부피)값을 계산한다. → (질량÷부피)값이 클수록 밀도가 크다.

• **방법 2**

① 두 가지 액체씩 짝을 지어 탑을 만들어 본다. → 아래쪽에 있을수록 밀도가 크다.

• **방법 3**

① 빨대에 일정한 간격으로 눈금을 만든다.

② 빨대 아랫부분에 점토를 붙여 액체 속에서 설 수 있게 만든다.

③ 점토를 붙인 빨대를 각 액체에 넣어 가라앉는 정도를 비교한다.

→ 조금 가라앉을수록 밀도가 크고, 많이 가라앉을수록 밀도가 작다.

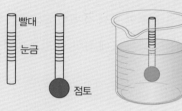

모범답안

4 ① 여러 가지 액체에 색소를 넣어 액체가 구분되도록 한다. 수용성 액체에는 수성 색소를 사용하고, 기름과 같은 액체에는 유성 색소를 사용한다.

② 투명 컵에 밀도가 큰 액체 순서대로 넣는다. 밀도가 가장 큰 액체를 가장 아래에 놓고 위로 갈수록 밀도가 낮은 액체가 오도록 한다.

③ 액체가 섞이지 않도록 스포이트로 투명 컵의 벽을 타고 흘러내리도록 서서히 넣는다.

해설 밀도 차이가 클수록 액체탑이 잘 만들어진다. 위 아래 액체의 성질이 물과 기름처럼 서로 다르면 밀도 차이가 작아도 액체들이 잘 섞이지 않는다.

층층이 쌓인 액체탑

STEP 3 융합 사고

모범답안

1 입으로 불면 풍선 안에 공기보다 밀도가 큰 날숨이 채워지지만, 놀이동산의 풍선은 공기보다 밀도가 작은 헬륨이 채워져 있다. 풍선 전체 밀도가 공기 밀도보다 작으면 풍선이 뜨고, 공기 밀도보다 크면 가라앉는다.

해설 날숨(약 4%)은 공기(약 0.03%)보다 이산화 탄소의 비율이 높아 공기보다 밀도가 크다. 풍선에 헬륨을 채우면 풍선 전체 밀도가 점점 작아지고, 공기 밀도보다 더 작아질 때 풍선이 떠오른다. 풍선이 오랫동안 공기 중에 높이 떠 있게 하려면 큰 풍선에 헬륨을 많이 넣어 풍선 전체 밀도를 최대한 낮춰야 한다.

모범답안

2 잠수함 속에 있는 빈 탱크에 물을 채우면 잠수함의 밀도가 바닷물보다 커서 가라앉고, 압축 공기를 불어 넣어 물을 빼면 잠수함의 밀도가 바닷물보다 작아서 떠오른다.

해설 물고기는 부레에 공기를 채우거나 빼면서 부력을 조절하고, 잠수함은 공기 탱크에 물을 넣거나 빼면서 중력과 부력을 조절해 잠수와 부상을 한다. 부력과 중력이 같을 때는 물속에 가라앉지 않고 멈출 수 있다.

모범답안

3 • 에어컨은 위쪽에, 온풍기는 아래쪽에 설치한다.
• 구명조끼를 입으면 물에 빠져도 가라앉지 않는다.
• 가스 누출 경보기는 LNG의 경우 천장에 가깝도록, LPG의 경우 바닥에 가깝도록 설치한다.
• 열기구 내부의 공기를 가열하면 점점 하늘 높이 올라간다.
• 볍씨를 소금물에 넣어 쭉정이를 분리한다.
• 쌀을 씻을 때 조리질을 하여 쌀과 돌을 분리한다.
• 소금물에 넣어 싱싱한 달걀과 상한 달걀을 분리한다.
• 해녀나 잠수부가 잠수하기 위해서 허리에 납 벨트를 착용한다.

4
- 소금이나 설탕을 넣어 밀도를 조절하여 탑을 쌓는다. 가장 진한 소금물이나 설탕물을 가장 아래층에 오게 하고 위쪽으로 갈수록 묽은 소금물이나 설탕물을 사용한다.
- 온도를 다르게 하여 밀도를 조절하여 탑을 쌓는다. 차가운 얼음물을 가장 아래층에 넣고, 미지근한 물을 중간에, 뜨거운 물을 가장 위에 넣는다.

해설 물의 밀도를 바꾸려면 물에 물질을 녹이거나 온도를 다르게 한다. 물보다 밀도가 큰 소금이나 설탕을 물에 많이 녹일수록 용액의 밀도가 높아지고, 물보다 밀도가 낮은 알코올을 물에 많이 섞을수록 용액의 밀도가 낮아진다. 찬물(4 ℃ 물의 밀도 $1 g/cm^3$)은 더운물(90 ℃ 물의 밀도 $0.96534 g/cm^3$)보다 밀도가 크지만, 그 차이가 크지 않아 4층 이상의 탑을 쌓기는 힘들다.

STEP 1 문제 인식

1 LED에 불이 들어온다.

해설 LED를 9V 전지에 직접 연결하면 LED가 타버릴 수 있으므로, LED가 정상적인지 확인하기 위해서는 3V 정도로 낮은 전압에 연결한다. 컬러점토는 반죽할 때 소금물인 염화 칼륨(전해질)을 사용한다. 전해질은 물속에 녹아서 전기를 통하게 해주는 물질이다. 촉촉하고 말랑말랑한 컬러점토에는 전해질이 이온의 형태로 녹아 있어서 전압을 걸면 컬러점토를 통해 이온이 이동해 전류가 흐른다. 물론 전선보다는 저항이 크다. 컬러점토라도 수분이 증발해 딱딱하게 굳으면 이온이 이동할 수 없어 전압을 가해도 전류가 흐르지 않는다.

2 LED에 불이 들어오지 않는다.

해설 고무찰흙에는 전해질이 없기 때문에 전기가 통하지 않는다. 고무찰흙은 컬러점토보다 약 100배 이상 큰 저항 값을 갖는다. 컬러점토와 고무찰흙은 비슷해보이지만, 전기적 특성은 전혀 다르다.

3 LED에 불이 들어오지 않는다.

해설 전류가 저항이 작은 컬러점토로 바로 흐르므로 LED에는 전류가 흐르지 않아 켜지지 않는다. 저항이 0에 가깝게 연결하여 LED로 전류가 흐르지 못하도록 하는 것을 단락이라고 한다.

4 LED에 불이 들어온다.

해설 고무찰흙은 부도체이므로 LED로 전류가 흐른다. 컬러점토와 고무찰흙을 이용하면 기본적인 전기회로는 물론 창의적인 과학·예술 융합 작품을 만들 수 있다.

STEP 2 문제 해결

1 [1] 길이가 짧을 때 LED가 더 밝다.
　　[2] 굵기가 굵을 때 LED가 더 밝다.

해설 [1] 길이가 길면 저항이 커져 LED의 밝기가 어두워진다.
　　　 [2] 굵기가 굵으면 저항이 작아져 LED의 밝기가 밝아진다.

2 [직렬회로]　　　　　　　　　　[병렬회로]

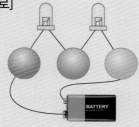 

[차이점]
• 직렬회로에서는 LED가 추가되면 LED 하나의 밝기가 어두워지지만, 병렬회로에서는 LED가 추가되어도 각각의 LED 밝기에는 변화가 없다.
• 직렬회로에서는 LED 하나를 제거하면 나머지 LED에 불이 들어오지 않지만, 병렬회로에서는 LED 하나를 제거해도 나머지 LED에 불이 들어온다.

3

해설 전류가 흘러야 하는 부분은 컬러점토로 만들고, 전류가 흐르지 않아야 하는 곳은 고무찰흙으로 만든다. 반드시 고무찰흙을 사용해야 하는 곳을 전기회로 설계도에 표시한다.

STEP **3** 융합 사고

모범답안

1
- 백열등은 비효율적이므로 사용을 제한하여 전기를 절약하기 위해서이다.
- 백열등은 환경 오염 물질을 발생시키기 때문이다.

해설 백열등은 필라멘트를 백열상태로 가열하고, 열복사로 가시광선을 내보낸다. 백열등은 전력의 5 %만 빛으로 활용하고 나머지는 열로 방출하므로 에너지 낭비가 심하다. 60 W짜리 백열등과 같은 밝기의 빛을 내는 LED의 전력 소모량은 10.5 W 밖에 되지 않으며 수명이 22년 가량이나 된다. 또한 LED는 형광등에 필수 물질인 수은을 쓰지 않아도 되므로 친환경적이다. 형광등은 백열등보다 5배 이상 전력 소모가 적고 밝다.

모범답안

2 비행기와 같이 속이 빈 도체 안에 있으면 전하가 도체의 밖을 타고 흐르기 때문에 안전하다.

해설 번개는 전하가 많이 모인 곳으로 내리 꽂힌다. 뾰족한 피뢰침이나 철탑이나 키가 큰 나무는 번개의 음전하의 표적이 되기 쉬운 곳이다. 사람의 몸도 전기가 잘 통하는 도체이기 때문에, 번개가 칠 때 나무 밑에 서 있다가는 번개를 직접 맞을 위험이 높다. 그러나 자동차나 비행기처럼 속이 빈 도체 안에 있으면 번개가 표면으로 흘러가기 때문에 안전하다. 비행기의 경우 각 날개 끝에 방전 장치가 있어 번개를 맞더라고 방전되므로 비행기에는 아무런 손상이 없다. 번개가 치면 자동차에서 내리지 말고 차 안에 있는 것이 훨씬 안전하다.

예시답안

3 • 체온과 심장 박동수 등을 감지하는 운동복을 만들 수 있다.
• 실내 온도 및 습도에 따라 다양한 색과 모양으로 빛을 내는 벽지 및 커튼을 만들 수 있다.
• 정전기의 발생을 줄일 수 있다.
• 겨울에 스마트폰을 터치할 수 있는 장갑을 만들 수 있다.
• 체온을 감지하여 체온을 유지해주는 발열 옷을 만들 수 있다.
• 스스로 빛을 내어 화사하게 빛나게 하는 웨딩드레스를 만들 수 있다.
• 옷에 삽입된 무전기 회로를 통해 업무 연락을 원활히 할 수 있는 비행기 승무원 유니폼을 만들 수 있다.
• 안테나가 내장된 군복을 만들 수 있다.

축구화 스터드의 역할

STEP 1 문제 인식

모범답안

1 얼음판은 매끄러운 표면이라서 잘 미끄러지지만 운동장 모래는 거칠어서 잘 미끄러지지 않는다.

해설 얼음판은 마찰력이 작아서 잘 미끄러지지만 운동장 모래는 마찰력이 커서 잘 미끄러지지 않는다.

모범답안

2 맨발로 걸으면 모래사장과 닿는 면적이 넓어 체중이 고르게 퍼지므로 모래가 얕게 파인다. 그러나 뾰족한 하이힐은 모래사장과 닿는 면적이 좁아 체중이 집중되므로 구두굽이 모래에 깊게 박혀 걷기 힘들다.

해설 물체의 면적이 넓으면 압력이 작아지고, 면적이 좁으면 압력이 커진다. 압력은 면적이 좁을수록 가해지는 힘이 클수록 커진다.

STEP 2 문제 해결

모범답안

1 축구의 경기 특성상 순간적인 출발과 급정지, 방향 전환, 킥 등을 할 때 스터드가 지면에 박혀 마찰력을 증가시켜 잘 미끌어지지 않기 때문이다.

해설 마찰력이 너무 작으면 쉽게 미끄러질 수 있고 반대로 너무 크면 발목이나 무릎에 무리를 준다. 스터드는 지면과 발바닥이 닿는 면적을 줄임으로써 압력을 증가시켜 지면에 꽂히도록 하여 미끄러지지 않게 한다. 축구화의 스터드는 등산스틱의 역할과 유사하다. 스터드가 축구 경기력을 크게 향상시켰지만, 선수의 몸무게가 스터드로 집중되면서 경기 후엔 발바닥이 온통 물집으로 뒤덮히는 경우가 자주 일어났다. 요즘은 스터드를 넓게 만들어 압력을 분산시키기도 한다.

모범답안

2 축구장이 미끄러운 경우에는 금속 재질의 길이가 긴 스터트가 적게 박힌 축구화를 신어 스터드 하나에 체중이 크게 실리도록 하여 스터드가 지면에 깊게 꽂히도록 해야 한다. 스터드가 땅에 깊이 박히면 마찰력이 커져 쉽게 미끄러지지 않고 순간적인 방향 전환이 쉽다.

해설 잔디 길이나 특성에 따라 스터드의 종류가 다르다. 길고 푹신한 천연 잔디에서는 13~15 mm 마그네슘이나 알루미늄 등 금속 재질의 스터드가 사용된 SG 축구화를 신어 마찰력을 최대화하고, 짧고 거친 잔디에서는 이미 마찰력이 충분하기 때문에 10 mm 정도의 폴리우레탄 등 낮고 가벼운 플라스틱 스터드가 사용된 FG 축구화를 신는다. 박지성 선수는 한국(짧고 거친 잔디)에서는 FG 축구화를 신고, 유럽(길고 푹신한 잔디)에서는 SG 축구화를 신는다. 구장의 종류에 따라 정해진 스터드가 박힌 축구화를 신어야 한다. 만약 맨땅에서 SG 축구화를 신고 뛰면 스터드가 빨리 닳아 없어지며 발목에 무리가 간다. 또한 스터드가 없는 것보다 더 잘 미끄러지게 되고, 스터드가 부러지면 큰 부상을 당할 수 있으므로 위험하다.

모범답안

3 • 물체를 지지하는 기둥의 개수를 늘인다.
• 삼각형 구조로 만든다.

해설 사각형보다 삼각형에서 힘의 분산이 잘 일어나므로 삼각형이 큰 힘을 효과적으로 안정적으로 지탱할 수 있다. 큰 다리의 지지대는 힘의 분산을 효과적으로 이용하기 위하여 삼각형 구조로 만든다.

예시답안

4 삼각형 구조로 이루어진 정사면체 모양으로 만든다.

 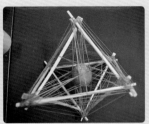

해설 힘을 잘 분산시킬 수 있도록 나무젓가락의 수를 많이 하고 삼각형 구조를 많이 사용한다.

STEP 3 융합 사고

모범답안

1 (가) 축구화는 공격수가 주로 신는 축구화이고, (나) 축구화는 수비수가 주로 신는 축구화이다. 공격수는 빨리 달려야 하기 때문에 마찰력이 크지 않아야 한다. 따라서 스터드의 개수가 많고 (10~14개) 길이가 짧은 축구화를 신어 지면에 깊게 박히지 않도록 한다. 반면 순간적인 방향 전환이 많고 급정지를 자주 하는 수비수들은 미끄러지지 않아야 하므로 지면과의 마찰력이 커야 한다. 따라서 스터드의 개수가 적고(6~8개) 길이가 긴 축구화를 신어 지면에 깊게 박히 도록 한다.

해설 박지성 선수의 경우 수비력이 좋고 움직임이 많기 때문에 스터드 수가 적은 축구화를 신는다. 수 비수라도 공격 성향이 강한 수비수라면 스터드 수가 많은 공격용 축구화를 사용하기도 한다. 최근엔 원 통형 스터드 대신 막대형 스터드가 대중화되며 선수들은 더 큰 회전력과 접지력을 얻게 됐다. 프로팀 관 계자에 의하면 막대형 스터드가 널리 보급된 이후엔 공격수나 수비수의 축구화에 큰 차이가 없어지고 있다고 한다. 축구화의 컬러나 디자인에 대한 규정은 없다. 본인이나 상대 선수로부터 안전하다고 판단 되면 신어도 된다. 골키퍼들은 스터드가 40~50개 축구화를 신기도 한다.

2
- 칼날은 면적을 좁게 하여 힘을 집중시켜 물체가 잘 잘리도록 한다.
- 못, 압정, 바늘 끝부분의 면적을 좁게 하여 힘을 집중시켜 물체에 잘 박히도록 한다.
- 빨대 한쪽 끝을 사선으로 뾰족하게 만들어 힘을 집중시켜 물체에 잘 꽂히도록 한다.
- 삽 끝 부분을 뾰족하게 만들어 힘을 집중시켜 땅에 잘 박히도록 한다.

해설 면적이 좁으면 힘이 집중되고, 면적이 넓으면 힘이 분산된다. 스키, 스노보드, 설피, 트럭의 많은 바퀴는 면적을 늘여 힘을 분산시킨다.

3
- 신발 밑창의 재질을 잘 미끄러지지 않는 고무를 사용한다.
- 신발 밑창에 돌기를 만든다.
- 신발 밑창의 돌기를 탄성체로 감싸 얼음이 흡착되는 것을 방지한다.
- 벨크로나 똑딱 단추를 사용하여 빙판길을 걸을 때 신발 앞에 미끄럼방지구를 간편하게 붙인다.
- 신발 밑창의 돌기를 회오리 구조로 만들어 마찰력을 증가시킨다.
- 신발 밑창 내부에 스파이크를 설치하고 필요할 때 펌프로 스파이크를 신발 밑창 밖으로 빼서 마찰력을 증가시킨다.
- 신발 밑창 내부에 스파이크를 설치하고, 신발 밑창 표면의 미끄러짐 감지센서에 의해 스파이크가 밑창 밖으로 빠져 마찰력을 증가시킨다.
- 신발 바닥면 전체에 홈을 파서 수막이 생기지 않도록 하여 미끄러짐을 방지한다.

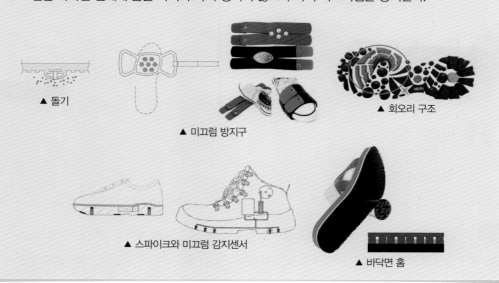

▲ 돌기

▲ 미끄럼 방지구

▲ 회오리 구조

▲ 스파이크와 미끄럼 감지센서

▲ 바닥면 홈

STEP 1 문제 인식

1
- 영화 장면 1 : 역반사 패널을 이용하여 함선을 투명하게 변하게 한다. 이론적으로 가능하다.
- 영화 장면 2 : 아주 힘이 쎈 헐크와 토르가 서로 힘겨루기를 한다. 토르와 헐크가 서 있는 바닥도 반작용에 의해 강한 힘을 받기 때문에 바닥이 파이거나 깨져야 한다.
- 영화 장면 3 : 아이언맨이 손에서 레이저를 발사해 큐브를 파괴한다. 아이언맨 손에서 엄청난 에너지의 레이저가 발사되면 아이언맨도 반작용에 의해 뒤로 밀려야 한다.
- 영화 장면 4 : 루키가 빠르게 날아오는 화살을 맨손으로 잡았다. 날아오는 화살을 잡으면 루키에게 힘이 가해졌으므로 루키가 뒤로 밀려야 한다.

해설 • 영화 장면 1 : 일본 도쿄대학에서 컴퓨터 및 물리학을 강의하고 있는 다치 스스무 교수가 투명 망토를 개발했다. 이 망토는 빛을 반사하는 초소형 구슬로 코팅된 역반사 물질과 착용자의 뒤쪽 모습을 앞면으로 비춰주는 카메라로 이뤄져 있다. 역반사 물질로 이루어진 옷에 카메라가 잡은 영상이 투사되므로 우리의 눈은 망토를 입은 사람 대신 뒷배경만 보여, 망토를 입은 사람이 시야에서 사라지는 것과 같은 효과를 낸다.
- 영화 장면 2 : 작용 • 반작용에 관한 오류이다.
- 영화 장면 3 : 작용 • 반작용에 관한 오류이다. 영화에서는 큐브가 폭발할 때 박사님과 아이언맨이 튕겨 나간다.
- 영화 장면 4 : 루키의 몸무게가 엄청나게 크지 않은 이상 힘을 받으면 가속도가 생겨 움직여야 한다.

STEP 2 문제 해결

1
① 손이 아프다.
② 몸이 뒤로 밀린다.
③ 점프를 할 수 있다.

해설 ① 내가 책상에 힘을 주면 책상도 나에게 힘을 준다. 내가 힘껏 내리칠수록 손이 아프다.
② 내가 벽에 힘을 주면, 벽도 나에게 힘을 준다. 내가 벽을 세게 밀수록 내 몸이 뒤로 많이 밀린다.

③ 내가 땅에 힘을 주면 땅도 나에게 힘을 주므로 내 몸이 위로 뜬다. 힘을 많이 줄수록 더 멀리 또는 더 높이 점프할 수 있다.

모범답안

2 풍선에서 바람이 나오며 작아지고, 빨대 끝에서 바람이 나오면서 반작용으로 빨대가 회전한다.

해설 풍선의 탄성력에 의해 밀려 나온 공기가 빨대 밖으로 나오면서(작용) 빨대를 민다(반작용). 반작용으로 구부러진 빨대 끝에 가해진 힘은 빨대 중앙에 고정시킨 시침핀 때문에 빨대를 회전시킨다.

모범답안

3
- 가설 1 : 풍선을 크게 불어 오랫동안 공기가 나오게 하면 빨대 헬리곱터가 오래 회전할 것이다.
- 가설 2 : 빨대 끝 부분을 작게 하여 공기가 천천히 나오게 하면 빨대 헬리곱터가 오래 회전할 것이다.
- 가설 3 : 빨대를 수직으로 구부리면 빨대 헬리곱터가 오래 회전할 것이다.

해설 빨대 헬리곱터는 반작용의 힘으로 회전한다. 반작용의 힘을 크게 하기 위해서는 작용의 힘을 크게 해주어야 한다.

모범답안

4
- 가설 1 : 풍선을 크게 불어 오랫동안 공기가 나오게 하면 빨대 헬리곱터가 오래 회전할 것이다.
  ① 빨대 헬리곱터를 만든다.
  ② 풍선의 크기가 10 cm가 되도록 불고 빨대를 수직으로 꺾이도록 한 후 빨대 헬리곱터의 회전수를 센다.
  ③ 풍선의 크기가 12 cm, 14 cm, 16 cm, 18 cm, 20 cm가 되도록 불고 빨대를 수직으로 꺾이도록 한 후 빨대 헬리곱터의 회전수를 센다.
  ④ 결과를 비교한다.

- **가설 2** : 풍선 입구를 작게 하여 공기가 천천히 나오게 하면 빨대 헬리콥터가 오래 회전할 것이다.
  ① 빨대 헬리콥터를 만든다.
  ② 풍선의 크기가 10 cm가 되도록 불고 빨대를 수직으로 꺾이도록 한 후 빨대 헬리콥터의 회전수를 센다.
  ③ 풍선의 크기가 10 cm가 되도록 불고 풍선을 꼬아 공기가 나가지 않게 한 후, 빨대 끝부분의 구멍을 고무찰흙이나 테이프로 절반 정도 막는다. 빨대를 수직으로 꺾이도록 한 후 빨대 헬리콥터의 회전수를 센다.
  ④ 풍선의 크기가 10 cm가 되도록 불고 풍선을 꼬아 공기가 나가지 않게 한 후, 빨대 끝부분의 구멍을 고무찰흙이나 테이프로 $\frac{1}{4}$ 정도 막는다. 빨대를 수직으로 꺾이도록 한 후 빨대 헬리콥터의 회전수를 센다.
  ⑤ 결과를 비교한다.

- **가설 3** : 빨대를 수직으로 구부리면 빨대 헬리콥터가 오래 회전할 것이다.
  ① 빨대 헬리콥터를 만든다.
  ② 풍선의 크기가 10 cm가 되도록 불고 빨대를 수직으로 꺾이도록 한 후 빨대 헬리콥터의 회전수를 센다.
  ③ 풍선의 크기가 10 cm가 되도록 불고 빨대를 45°로 꺾이도록 한 후 빨대 헬리콥터의 회전수를 센다
  ④ 풍선의 크기가 10 cm가 되도록 불고 빨대를 150°로 꺾이도록 한 후 빨대 헬리콥터의 회전수를 센다
  ⑤ 풍선의 크기가 10 cm가 되도록 불고 빨대를 180°로 나란히 일자로 만든 후 빨대 헬리콥터의 회전수를 센다.
  ⑥ 결과를 비교한다.

STEP 3 융합 사고

모범답안

1
- 병에서 나타나는 변화 : 소다와 식초가 만나 이산화 탄소가 발생하여 마개가 튀어 나간다.
- 저울에서 나타나는 변화 : 마개가 튀어나갈 때 생기는 반작용으로 저울의 눈금이 증가했다가 다시 돌아온다.

 해설   병안의 압력으로 인해 마개가 튀어나가고(작용) 마개가 튀어나가면서 병을 아래로 누른다(반작용).

★ 모범답안 ★

2 지구에서는 중력에 의해 물체가 바닥에 붙어 있으므로 바닥과 물체 사이에 마찰력이 존재한다. 따라서 지구에서는 우주에서만큼 작용·반작용이 크게 나타나지 않는다.

해설 지구에서도 마찰력이 작은 얼음판에서 또는 인라인 스케이트를 신고 실험하거나 물에서 실험하면 작용·반작용에 의해 밀려나는 모습을 볼 수 있다.

★ 예시답안 ★

3 1. 블랙 위도우를 구하기 위해 토르가 날아와 헐크를 덮치고 튕겨나간다.
2. 토르와 헐크가 엄청난 힘으로 날아와 바닥에 구른다. 토르와 헐크가 바닥에 부딪치는 힘에 의해 바닥에 금이 간다.
3. 헐크가 토르에게 주먹을 날려 토르가 맞는다. 토르와 헐크 모두 작용·반작용에 의해 뒤로 튕겨 나가 뒤에 있는 물체에 부딪치고 물체들도 부서지며 뒤로 밀려난다.
4. 토르가 멀리서 빠르게 달리며 헐크에게 달려 온다. 토르의 엄청난 힘의 반작용으로 토르가 지나간 자리마다 바닥에 발자국이 생긴다.
5. 토르가 점프하여 있는 힘껏 두 손으로 헐크를 내리치고 헐크가 한 팔로 강한 힘으로 토르 팔을 막는다. 토르와 헐크의 강한 힘의 반작용으로 바닥에 금이 생기고 결국 바닥이 무너진다.
6. 토르와 헐크가 아래층으로 떨어져 등을 바닥에 부딪치고 반작용으로 바닥에서 튕긴 후 중심을 잡고 다시 일어선다.

해설 왼쪽에는 간단하게 그림을 그리고, 오른쪽에는 내용을 요약해서 적고 간단한 대사를 적어본다.

STEP 1 문제 인식

예시답안

1
- 물을 높은 곳에 저장하고 관을 통해서 낮은 곳으로 흘려보낸다. 이 때 물이 나오는 구멍을 작게 하면 큰 압력이 생겨서 분수가 된다.
- 사이펀의 원리를 이용한다.

해설 로마의 수원지는 로마시보다 높았기 때문에 수로를 통해 골짜기 아래로 내려보냈다가 다시 위로 올리는 일(사이펀 현상)이 가능했다.

모범답안

2
- 결과 : [실험 1]에서는 물을 마실 수 있지만, [실험 2]에서는 병 안의 물을 마실 수 없다.
- 차이가 나는 이유 : [실험 2]에서는 고무찰흙이 입구를 막고 있기 때문에 물이 빨대 안으로 들어가도록 눌러주는 힘(기압)이 작용하지 않아 물이 빨대 안으로 들어오지 않는다.

해설 빨대로 액체를 빨아들이면 우리의 힘으로 액체를 위로 끌어올린 것처럼 보이지만, 우리는 빨대 속에 있던 공기를 제거하여 빨대 속의 기압만 떨어뜨린 것이다. 빨대 안에서 물이 위로 올라가는 것은 바깥 공기가 계속해서 액체 위에 압력을 가하기 때문이다. 병을 완전히 꽉 막으면 바깥 공기가 액체에 압력을 가할 수 없으므로 물은 위로 올라갈 수 없다.

STEP 2 문제 해결

모범답안

1
- 진공청소기로 먼지를 빨아들인다.
- 분무기로 물을 뿌린다.
- 빨대로 음료수를 마신다.

해설 • 진공청소기 : 진공청소기 안쪽 공기의 압력을 바깥쪽 공기의 압력보다 낮게 하면, 바깥쪽에서 안쪽으로 공기를 빨아들이면서 먼지도 함께 빨아들인다.

- 분무기 : 손잡이를 눌러 분무기 안쪽의 압력을 바깥쪽 공기의 압력보다 크게 하면, 안쪽의 물이 바깥

  쪽으로 뿜어져 나온다.

- 빨대 : 빨대 안의 공기를 빨아들여 압력을 낮추면, 음료수가 빨대 안으로 빨려들어온다.

★ 모범답안 ★

2 공기의 압력에 의해서 물이 밀려 올라간다.

해설   헤론의 분수는 위쪽의 열려 있는 분수 접시와 아래쪽에 밀폐되어 있는 용기 A와 B로 이루어져

있다. 가장 아래에 있는 용기 A에는 물을 조금만 넣고, 중간에 있는 용기 B
에는 물을 충분히 넣는다. 분수 접시에 물을 넣으면 분수가 시작된다.
분수 접시에 있던 물이 관을 통해 용기 A로 떨어지면, 용기 A에 있던 공기는
관을 통해 용기 B로 이동한다. 용기 B로 올라간 공기는 압력에 의해 용기 B
의 물을 밀어내게 되고, 용기 B의 물은 좁은 관을 통해 분수 접시로 뿜어져
올라간다. 용기 B의 물이 완전히 비게 되면 분수는 끝나게 된다.

★ 예시답안 ★

3

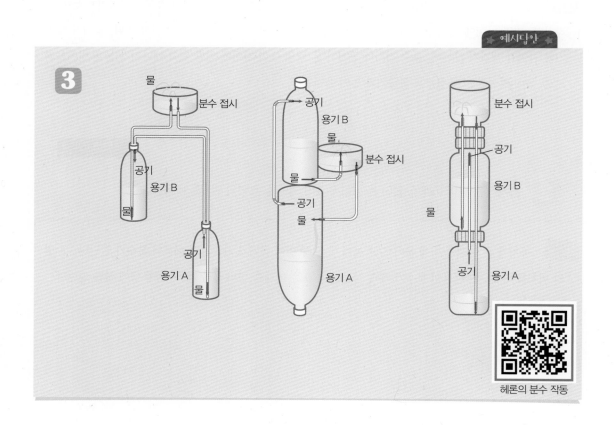

헤론의 분수 작동

4 분수 접시의 물이 병 A로 들어가면 병 A의 공기가 병 B로 밀려 올라가고, 병 B로 들어간 공기의 힘에 의해 병 B의 물이 분수 접시로 이동한다.

해설 높이에 따른 기압 차이를 이용해 위치에너지를 운동에너지로 전환시켜 물을 뿜는다.

1 • 분수에서 물이 나오는 구멍을 작게 한다.
• 공기가 새지 않도록 연결 부위를 밀폐한다.
• 분수 접시와 공기가 든 병의 높이 차이를 크게 한다.

해설 물이 나오는 구멍에 볼펜 꼭지를 씌워 구멍을 작게 만들수록 물의 압력이 강해져 물줄기가 높이 올라간다. 기압 차이에 의해 분수의 물줄기가 위로 뿜어올라가므로 공기가 새지 않아야 한다. 공기가 새면 기압 차이가 생기지 않는다. 분수 접시와 공기가 든 병의 높이 차이에 의한 위치 에너지가 물을 밀어올리므로, 높이 차이를 크게 할수록 물줄기가 높이 올라간다.

2 공기가 든 병이 아래쪽, 물이 든 병이 위쪽이 되도록 두 병의 위치를 바꿔준다.

해설 공기가 든 아래쪽 병에 물이 차고 물이 든 위쪽 병에 공기가 가득차면 헤론의 분수가 끝난다. 두 병의 위치를 바꿔주면 헤론의 분수가 계속 작동된다. 또는 아래쪽 병의 물을 빼고, 위쪽 병에 물을 넣는다.

모범답안

3 계영배에 술을 조금만 부으면 대기압에 의해 술이 관 안으로 밀려 올라가지만 꺾인 부분을 넘어가지는 못한다. 술을 관 높이까지 부으면 관 안에 술이 가득 차게 된다. 이 상태에서 술을 더 부으면, 수압이 관 안쪽보다 커져 술을 누르게 되고, 꺾인 부분을 넘은 술은 중력에 의해 모두 다 관을 따라 낮은 위치에 있는 구멍으로 빠져나간다.

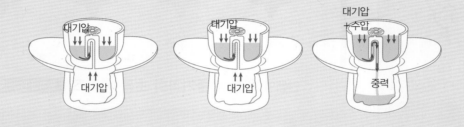

해설 계영배는 대기압과 중력의 관계를 이용한 것이다.

예시답안

4
- 화장실 변기에 물을 내리면 사이펀 원리에 의해 변기 안의 모든 물이 빠져나가고, 일정량의 물이 남는다.
- 드럼세탁기 섬유유연제 넣는 곳에 MAX 부분보다 더 많은 양을 넣으면, 사이펀의 원리에 의해 모든 섬유유연제가 빠져나가므로 적당량만 넣어야 한다.
- 수족관의 물을 갈아줄 때 사이펀의 원리를 이용한다.
- 주유소에서 주유 운반 기름탱크에 있는 기름을 땅 속 주유소 기름 탱크로 옮길 때 사이펀의 원리를 이용한다 .
- 세면대와 싱크대의 배수관의 S트랩은 사이펀의 원리를 이용한다.

안쌤이 추천하는
영재교육원 대비 3,4학년 로드맵

STEP
개념+창의력

안쌤의 최상위 줄기과학 초등 시리즈 `학기별 8강, 총 32강`

STEP
문제해결력

안쌤의 창의적 문제해결력 시리즈 `수학 8강, 과학 8강`

STEP
실전테스트

안쌤의 창의적 문제해결력 실전 시리즈 `수학 50제, 과학 50제, 모의고사 4회`

안쌤의
창의적 문제해결력 시리즈

초등
1~2
학년

초등
3~4
학년

초등
5~6
학년

중등
1~2
학년

안쌤의 창의적 문제해결력 시리즈

☑ 3 · 4학년
안쌤의 창의적 문제해결력 수학 3 · 4학년
안쌤의 창의적 문제해결력 과학 3 · 4학년
안쌤의 창의적 문제해결력 모의고사 3 · 4학년 (수학 과학 공통)

☑ 5 · 6학년
안쌤의 창의적 문제해결력 수학 5 · 6학년
안쌤의 창의적 문제해결력 과학 5 · 6학년
안쌤의 창의적 문제해결력 모의고사 5 · 6학년 (수학 과학 공통)

☑ 중등 1 · 2학년
안쌤의 창의적 문제해결력 모의고사 중등 1 · 2학년 (수학 과학 공통)

 매스티안

펴낸곳 타임교육C&P   **펴낸이** 이길호
지은이 안쌤 영재교육연구소
주소 서울특별시 강남구 봉은사로 442   **연락처** 1588 - 6066
팩토카페 http://cafe.naver.com/factos
안쌤카페 http://cafe.naver.com/xmrahrrhrhghkr
         (안쌤 영재교육연구소)

자율안전확인신고필증번호: B361H200-4001

1. 주소: 06153 서울특별시 강남구 봉은사로 442
2. 문의전화: 1588 - 6066
3. 제조년월: 2022년 12월
4. 제조국: 대한민국
5. 사용연령: 8세 이상
※ KC마크는 이 제품이 공통안전기준에 적합하였음을 의미합니다.

⚠ 주의

종이 모서리에 다칠 수 있으니 주의하세요!

1. 주소: 06153 서울특별시 강남구 봉은사로 442
2. 문의전화: 1588 - 6066
3. 제조년월: 2022년 12월
4. 제조국: 대한민국
5. 사용연령: 8세 이상

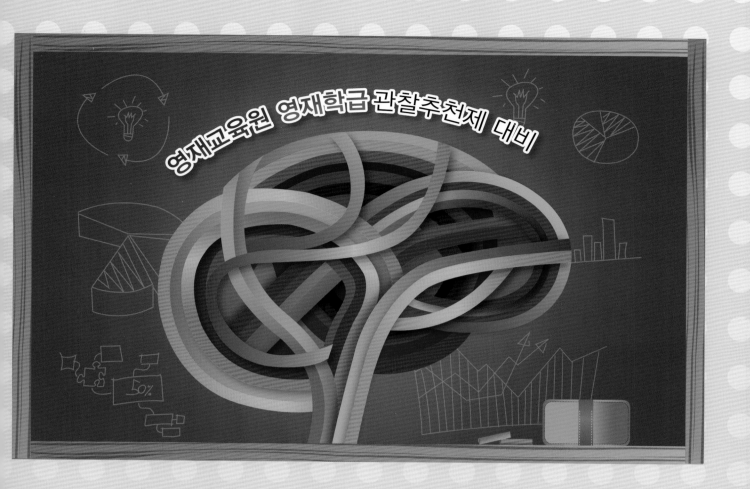

영재교육원 영재학급 관찰추천제 대비

안쌤의
「창의적 문제 해결력」 수학 과학 공통

모의고사

① 모의고사[4회]

● 최근 시행된 전국 관찰추천제 **기출 완벽 분석 및 반영**

● 서울권 창의적 문제해결력 **평가 대비**

● 영재성검사, 학문적성검사, **창의적 문제해결력 검사 대비**

② 평가 가이드 및 부록

● 영역별 점수에 따른 **학습 방향 제시와 차별화된
평가 가이드 수록**

● 창의적 문제해결력 평가와 면접 기출유형 및
예시답안이 포함된 **관찰추천제 사용설명서 수록**

안쌤의
줄기과학 시리즈

새 교육과정
3~4학년
학기별
STEAM 과학

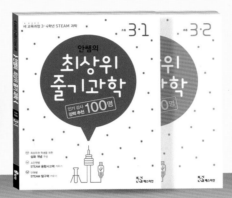

3-1 **8강** 3-2 **8강**   4-1 **8강** 4-2 **8강**

새 교육과정
5~6학년
학기별
STEAM 과학

5-1 **8강** 5-2 **8강**   6-1 **8강** 6-2 **8강**

새 교육과정
중등 영역별
STEAM 과학

물리학 24강 **화학 16강** **생명과학 16강** **지구과학 16강**   **물리학 워크북**   **화학 워크북**